Princesse Bibesco

Au bal
avec Marcel Proust

Gallimard

La princesse Bibesco, née Marthe Lahovary, est née à Bucarest en 1890. Issue d'une illustre famille roumaine, elle a été élevée à Paris, où elle épouse en 1905, à l'âge de seize ans, son cousin Georges Bibesco. Elle a apporté à la littérature française tout à la fois la poésie de son pays natal et la richesse de son regard sur l'aristocratie cosmopolite des cours européennes.

Elle a évoqué cette survivance aristocratique de l'entre-deux-guerres dans *Le perroquet vert* (1924) et *La nymphe d'Europe* (1960).

Elle a égrené ses souvenirs dans *Catherine-Paris* (1927), *Images d'Epinal* (1937), *Feuilles de calendrier* (1939), et a publié en 1951 *La vie d'une amitié* qui est sa correspondance avec l'abbé Mugnier.

Au bal avec Marcel Proust (1928) a été repris dans le deuxième des Cahiers Marcel Proust en 1971.

La princesse Bibesco est morte en 1973.

Au milieu du bal où j'ai rencontré Marcel Proust où il a essayé de me parler, où j'ai tâché de ne pas l'entendre, où je l'ai fui, la pendule que chevauchait le parrain Drosselmayer, le parrain borgne d'un conte d'Hoffmann, a dû sonner minuit imperceptiblement au fond de ma mémoire d'enfant, dans mon royaume qui n'est plus de ce monde :

Perpendicule
Va faire ronron,
Avance et recule
Brillant escadron!
L'horloge plaintive
Va sonner minuit,
La Chouette arrive
Et le Roi s'enfuit...

Ces paroles m'ont longtemps donné une espèce de frayeur, d'autant plus affreuse qu'elle n'était pas explicable. Si je la compare aujourd'hui au sentiment qui me fit m'éloigner de Marcel Proust, c'est parce que je le fuyais pour des raisons, en apparence,

encore moins intelligibles. Je me donnais pour prétexte que, venue au bal pour danser, lui, pauvre
homme, ne dansait pas ; mais, sans que je me l'avoue,
c'était sa présence seule qui me faisait passer des
bras d'un danseur à ceux d'un autre, et dire au
suivant, avec l'accent de la supplication, de ne pas
me ramener à la place où il m'avait prise, cette
place devant laquelle, livide et barbu, le col de
son manteau relevé sur sa cravate blanche, Marcel
Proust avait traîné sa chaise depuis le commencement
de la soirée. Et il l'avait placée de telle sorte, entre la
salle et moi, qu'on eût dit qu'il voulait m'accaparer,
me séquestrer, et m'isoler avec lui du reste du monde.
A-t-il pénétré les motifs de mon incroyable conduite ?
Une lettre, qu'il m'écrivit un an plus tard, fait allusion à la soirée où je lui parus « si hostile ». Mais
pouvait-il comprendre pourquoi je voulais rompre
l'entretien, m'éloigner de lui à toute force ? C'était
parce qu'il réveillait en moi la peur de l'indicible.
La lecture d'un conte fantastique, traduit par
Alexandre Dumas fils, m'avait jetée jadis dans cette
même espèce de terreur. La chambre de deux enfants
entourés de leurs jouets, un soir de Noël, s'y transformait en un lieu d'épouvante *à partir* du moment
où l'un d'eux avait aperçu le parrain borgne, assis à
califourchon sur la pendule de l'antichambre, au
lieu et place d'une chouette en bronze qu'on y avait
toujours vue. Dès lors, tout était devenu possible :
la réalité cessait. Elle cessa à l'instant où Marcel

8

Proust vint s'asseoir au bal en face de moi, sur une petite chaise dorée, tel qu'il sortait du songe, avec sa pelisse de fourrure, son visage de douleur, et ses yeux qui voyaient la nuit.

On a frappé à toutes les portes qui ne donnent sur rien, et la seule par où l'on peut entrer, et qu'on aurait cherchée en vain pendant cent ans, on y heurte sans le savoir, et elle s'ouvre[1].

L'homme qui écrivit cette phrase mystérieuse avait les clefs du monde où je ne voulais pas le suivre ce soir-là, où il m'a entraînée depuis.

*

Je dois à l'amitié d'Antoine Bibesco d'avoir pénétré au pays défendu, le pays de ce qui fut sans moi, d'avoir pu lire les lettres [2] que Marcel Proust leur écrivit, à son frère Emmanuel et à lui, en un temps où je n'étais pas encore, et de pouvoir citer toutes celles qui serviront à l'intelligence de ce récit. Une grande, une extrême, une longue amitié, dont je perçus les derniers rayons, dont je fus la bénéficiaire imméritante, existait entre mes deux cousins Bibesco, leur ami Bertrand de Fénelon [3] et Marcel Proust, longtemps avant que j'existasse pour eux ou même

---

1. *Le Temps retrouvé*, t. I, p. 237.
2. Les lettres de Marcel Proust à Antoine Bibesco devaient paraître dans un volume intitulé : *Aux enfers avec Marcel Proust*.
3. Le comte Bertrand de Salignac-Fénelon, mort pour la France le 17 décembre 1914.

9

pour moi. Je suis venue la dernière, et j'ai reçu plus que je n'avais donné; je suis arrivée tard dans un monde achevé avant moi; j'ai été admise dans un cercle déjà fermé; on m'appela d'un beau nom : « l'ouvrier de la onzième heure ».

Cet univers, où Emmanuel et Antoine m'ont introduite d'autorité, et presque malgré moi d'abord, avait Paris pour planète et l'art pour soleil. On y gravitait de compagnie; on y parlait un langage inventé, ce qui réjouissait ma jeunesse, le complot étant un des éléments essentiels des jeux de récréation que je venais à peine de quitter : j'avais dix-sept ans.

Les « Ocsebib » c'étaient les Bibesco. « Nonelef » désignait l'arrière-petit-neveu du Cygne de Cambrai; « Lecram » était l'anagramme de Marcel; « tombeau » de l'invention d'Antoine dont le vocabulaire primait, cela voulait dire : profond secret inviolable; « faire la hyène » c'était violer un tombeau. *Connais-tu pas, tombeau, une femme qui s'appelle Louison* [1] *?* Pour souligner une vérité, on disait « sic », et, s'il fallait insister « sicissime ».

La curiosité et ses corollaires, la confidence et l'indiscrétion, étaient à la fois la passion et le bourreau des quatre amis, l'objet de leurs brouilles et l'élément de leur fusion spirituelle, toujours féconde et renouvelée :

Et puis enfin et surtout ce que je t'ai confié par la violence

1. Lettre XXIII à Antoine Bibesco.

de ma sympathie pour toi, l'absolu de ma confiance première
et l'habitude de tout te dire doit rester ton privilège et ne
doit s'étendre à qui que ce soit.

. . . .

Je t'assure que tu es un peu effrayant et pourtant ce
n'est pas faute de t'avoir parlé longuement à ce sujet. J'es-
père cette fois que j'aurai été plus décisif[1].

J'appris d'abord par les lettres la géographie de
leur amitié : c'était celle d'un petit pays. Dans ce
temps-là, Marcel Proust habitait avec ses parents
le 45 de la rue de Courcelles, les Bibesco le 69;
quelques maisons seulement les séparaient; on n'avait
pas même la peine de traverser la rue, de dire :
— Si vous passez devant ma porte... Tous les soirs
en revenant du bal, du théâtre, ou d'un dîner en
ville, on était sûr de trouver Marcel Proust au logis;
il n'y avait qu'à monter l'escalier, on sonnait deux
coups et la féerie commençait. — C'était le feu d'ar-
tifice dans la mine d'émeraudes; il savait tout, dira
Antoine, et son esprit illuminait ses trésors.

Si le peu que je sais peut t'intéresser il est à ta disposi-
tion mon petit Antoine, dans la même mesure que mon cœur,
mes forces, ma vie et le peu d'utilité que je pourrais occa-
sionnellement avoir dans la vie, c'est-à-dire tout entier. J'ai
naturellement en t'écrivant la légère émotion qui accompagne

1. Lettre XXIV à Antoine Bibesco.

inévitablement des assertions si véhémentes et je te serre
affectueusement la main [1].

Dès ce temps-là, pour Marcel Proust, déjà pri-
sonnier de son mal, mes cousins et leur ami Fénelon
sont au-dehors les agents pourvoyeurs du rêve; ils
rabattent vers lui les images et les idées; ils sortent,
tandis que lui demeure; ils vivent, tandis que lui
songe la vie. Cela ne va pas toujours sans quelques
reproches de la part de celui qu'on laisse au logis.
Souvent, il se lamente; il se plaint qu'on l'abandonne
sur « son rivage » pour aller dans le monde, ce monde
qu'il aime et qu'il abhorre tour à tour, mais dont il
a besoin pour nourrir sa création.

Pardonnez-moi surtout tous mes conseils que je n'ai
vraiment pas le droit de vous donner et celui de ce soir aura
été le dernier. Pardonnez-le-moi et dites-vous si vous ne
le trouvez pas juste qu'il reflète chez moi la disposition
subjective, la jalousie d'une Andromède masculine toujours
attachée à son rocher, et qui souffre de voir Antoine Bibesco
s'éloigner et se multiplier sans qu'il puisse le suivre, en sorte
que mes conseils antimondains ne seraient qu'une forme
inconsciente, didactique et péjorative du sublime : La pauvre
fleur disait au papillon céleste : — Ne fuis pas! Je reste.
Tu t'en vas...! — Je vous envie Nonelef et vous, j'envie
chacun de vous de voir l'autre tandis que je vais changer de
côté dans mon lit pour toute distraction : mais que de lieues

1. Lettre XXII à Antoine Bibesco.

je fais dans mon esprit et dans mon cœur pendant ce repos apparent [1].

Les lettres m'ont appris encore comment placer les quatre amis par rapport les uns aux autres dans la succession du temps. C'est Antoine et son ami Fénelon qui attirent d'abord la sympathie de Marcel Proust; Emmanuel ne viendra qu'ensuite, mais pour prendre une place si haute qu'elle dominera tout le pays. L'aube de la grande amitié n'a pas été sans nuages, quelques-uns amassés comme à dessein. Marcel Proust commence par envelopper ses sentiments de moquerie et d'érudition. Dans l'une de ses premières lettres il se pose en partisan, en apologiste; il propose son amitié comme antidote aux perfidies mondaines. On est au lendemain de l'affaire Dreyfus. Bertrand de Fénelon et Antoine Bibesco ont été dreyfusards et cela fait d'eux, dans les milieux qui sont plus spécifiquement les leurs, de jeunes et brillants parias. Marcel Proust s'offre comme agent de propagande, avec une humilité feinte, tout en niant l'amitié que déjà il éprouve :

Vendredi.

Cher ami,

Merci du gentil mot dont je n'ose espérer qu'il répondait de votre part à un désir, mais qui s'il ne faisait que chercher à satisfaire celui que vous supposiez que j'avais, était déjà

1. Lettre XXIV à Antoine Bibesco.

*par là d'un ami. Justement dans un Pascal et un La
Bruyère dont je console ce soir mon regret, je trouve à diverses
reprises le mot : ami, et entendu un peu dans le sens de
« l'un des deux » et d' « avocat ».*

La Bruyère dit :

*« Un homme en place doit aimer... les gens d'esprit,
il les doit adopter... Il ne saurait payer (je ne dis pas) de
trop de bienfaits mais de trop de caresses... les leçons et
les services qu'il en tire, même sans le savoir. Quels petits
bruits ne dissipent-ils pas (mais au moins me lisez-vous
Bibesco, car si vous ne me lisez pas ce n'est pas la peine
que je me tue à copier ce merveilleux passage) quelles histoires ne réduisent-ils pas à la fable et à la fiction (c'est
trop long je passe le plus beau) semer en mille occasions des
faits et des détails qui soient avantageux et tourner le rire et la
moquerie contre ceux qui avançaient des faits contraires », etc.*

*Et Pascal plus bref et plus fort (et que je suis émerveillé
de trouver si au courant de ce qui se passe chez M*me *de
Saint-V.*[1]*) : un ami est une chose si avantageuse même
pour les plus grands seigneurs afin qu'il dise du bien d'eux
et les soutienne en leur absence même (même est spirituel)
qu'ils doivent tout faire pour en avoir. Mais qu'ils choi-
sissent bien, car s'ils font tous leurs efforts pour des sots cela
leur sera inutile, etc., même s'ils (les sots) en disent du bien.
Et même ils n'en diront pas du bien s'ils se trouvent les
plus faibles. Car ils n'ont pas d'autorité (sublime) et
ainsi ils médiront par compagnie (1901). J'aimerais (ce*

---

1. Mme de Saint-Victor. Elle tenait un salon littéraire et politique.

n'est plus Pascal qui parle et il est hélas superflu de vous en avertir) avoir de l'esprit et qu'il pût vous servir auprès des autres, mais vous n'êtes pas utilitaire et je ne suis pas utile. Vous avez été odieux hier soir cher Téléphas[1] et avez baissé. Mais vous aviez préalablement trouvé le chemin de mon cœur. Je vous dirai comme les gens qu'on est venu voir pour la première fois : « Maintenant que vous savez le chemin, j'espère que vous reviendrez. » Cette conclusion d'un « tour de propriétaire » sentimental est assez grossière pour donner à un public parisien l'illusion d'une assez grande finesse psychologique. Peut-être pourriez-vous l'introduire dans la Lutte[2], s'il vous manque une réplique comme on intercalait sur le divin visage de Demarsy la peau d'un être inférieur — ou comme des Vénitiens construisant leur basilique intercalaient dans l'œuvre personnelle des morceaux rapportés des pays qu'ils avaient aimés. Cher ami, assez de lettres (je parle de mes lettres à moi qui sont des lettres, vous ne m'envoyez jamais que des messages qui pourraient être téléphonés). Tout cela est beaucoup trop s'occuper d'amitié qui est une chose sans réalité. Renan dit de fuir les amitiés particulières. Emerson dit qu'il faut changer progressivement d'amis. Il est vrai que d'aussi grands qu'eux ont dit le contraire. Mais j'ai une sorte de lassitude d'insincérité et d'amitié, ce qui est presque la même chose...

MARCEL PROUST [3].

1. Téléphas, en grec : celui qui parle de loin, nom donné par Marcel Proust à Antoine Bibesco qui lui parlait souvent au téléphone.
2. *La Lutte*, pièce de théâtre inédite d'Antoine Bibesco.
3. Lettre X à Antoine Bibesco.

Dans une autre lettre, c'est Fénelon seul qui est accusé de se disperser en multipliant ses amitiés. Marcel Proust a déjà trouvé le centre de la sienne :

... Voilà une lettre vraiment bien imbécilissime et pour de bon. Je n'oserais pas l'écrire à Nonelef avec qui je suis encore à l'époque de l'espérance. Avec vous, il me semble que je n'ai plus rien à perdre. Dites à Fénelon que j'ai beaucoup de sympathie pour lui et que je serais trop heureux si en échange de la mienne fort grande il m'accorde un petit morceau de celle qu'il brise pour la disperser sur tant de personnes. Je me disperse aussi mais successivement. La part de chacun est plus courte mais plus grande. A ce propos, cher ami, cela me rappelle qu'il y a déjà longtemps que nous devrions être brouillés. Vous avez dépassé infiniment le temps maximum que j'octroie à mes amitiés. Brouillons-nous vite.

Votre

MARCEL PROUST [1].

La triple amitié fait des progrès rapides, malgré le travail en sens contraire de l'esprit critique. Pour me figurer comment Bertrand de Fénelon apparaît à Marcel Proust, il me faut penser au pouvoir qu'exerce sur sa sensibilité l'incantation des noms propres et que Fénelon, lorsque je l'ai connu, beaucoup plus tard, représentait encore très exactement

1. Lettre XI à Antoine Bibesco.

par sa couleur, ses yeux bleus et son attitude désinvolte, tout ce que Marcel Proust a mis d'aimable dans sa synthèse d'un jeune aristocrate français. Quant à Antoine Bibesco, on trouvera de lui une image toute parnassienne dans ce portrait à l'antique qu'a peint, dans sa ferveur, son nouvel ami :

Tout ceux qui disent « prince » à ce jeune diplomate d'un si grand avenir, se font à eux-mêmes l'effet de personnages de Racine, tant avec son aspect mythologique il fait penser à Achille ou à Thésée. M. Mézières, qui cause en ce moment avec lui, a l'air d'un grand-prêtre qui serait en train de consulter Apollon. Mais si, comme le prétend ce puriste de Plutarque, les oracles du Dieu de Delphes étaient rédigés en fort mauvais langage, on ne peut en dire autant des réponses du prince. Ses paroles comme les abeilles de l'Hymette natal ont des ailes rapides, distillent un miel délicieux, et ne manquent pas, malgré cela, d'un certain aiguillon [1].

Voici que les trois amis commencent à sortir ensemble. Les lettres parlent d'un dîner à Armenonville. Les billets se multiplient où Marcel Proust donne rendez-vous à ses amis chez Larue ou chez Weber. Il les attend à la sortie du théâtre, au retour d'un bal, d'un dîner, où il n'ira pas, mais dont il percevra, à travers eux, l'écho merveilleusement prolongé.

1. *Chroniques*, p. 34.

Cher Antoine,

Tu serais très gentil de passer de toute façon en revenant de chez Mme de Pierrebourg [1] *(à quelle heure) si tu ne me trouvais pas tu trouverais un mot de moi et c'est tellement plus sur ton chemin. Pourquoi es-tu si gentil pour moi? Étant déjà Ibsen et Carlyle, prétendrais-tu devenir Jésus? Je ne goûte pas le Consolateur, malgré d'assez jolis traits de paysage. Mais je suis triste de me sentir si loin de tout ce que Bertrand aime en littérature. Il est vrai que les goûts de M...* [2] *n'étaient pas meilleurs mais ils étaient plus divertissants. J'ai tenu à te dire ceci qui est doublement stupide et deux fois blessant. Hélas! il est parfois si faux que « ces reliques du cœur aient aussi leur poussière » et on a quelquefois la folie criminelle de « porter la main sur leurs restes sacrés ». Il est trois heures de l'après-midi. Je n'ai pas encore dormi, étant à la fois très malade et très malheureux. Aussi venir avant six heures et demie aurait quelque chose d'homicide, mais après dix heures et demie, d'excessivement gentil dans l'endroit que mon mot dira. Veux-tu Larue, onze heures?*

Tout à toi,

MARCEL PROUST [3].

Emmanuel est nommé pour la première fois dans la correspondance en un temps où déjà Marcel Proust tutoie Antoine, où leur amitié est chose conclue.

1. La baronne Aimery de Pierrebourg, dont le salon littéraire était fréquenté par Marcel Proust et par les Bibesco.
2. Robert de Montesquiou.
3. Lettre XXVI à Antoine Bibesco.

... Ton frère m'a écrit une lettre tellement exquise que je ne crois pas en avoir jamais reçu d'aussi involontairement jolie [1].

La dominante de la vie d'Antoine, c'est Emmanuel. Lorsqu'ils sont séparés, les deux frères s'écrivent tous les jours : qui connaît l'un, et l'aime, ne peut qu'aimer l'autre. En deux mots : « involontairement jolie », Marcel Proust a défini la manière d'être du frère aîné qui toujours s'efface devant son cadet, et veut qu'on l'oublie.

Emmanuel, à cette époque, demeure pour la plus longue partie de l'année en Roumanie. Il entre au Parlement roumain, et Marcel Proust écrit à ce sujet :

J'apprends que ton frère est élu député. Il convenait que son grand cœur et sa grande intelligence eussent un moyen d'agir sur les hommes. Est-ce cela ou n'est-ce rien ? Mais je ne veux pas l'ennuyer d'une lettre. Seulement dis-lui que je le félicite de tout cœur. Mais pense à le lui dire... n'oublie pas, n'est-ce pas ?

L'influence d'Emmanuel ira en augmentant; désormais la constellation est formée, la grande amitié existe. Le commerce des quatre jeunes gens est fondé sur la confidence perpétuelle. Marcel Proust

1. Lettre XXV à Antoine Bibesco.

écrit aux deux frères dans le commencement de leur
intimité :

*Vous êtes ce soir, pour prendre votre expression, très en
hausse ou, ce qui est encore plus Bibesco, hausse effroyable
ce soir. (Expression qui a l'air télégraphiée par notre
correspondant financier qui nous écrit de Londres : Grande
hausse sur...)* [1].

Être en hausse ou en baisse signifiait avoir donné
à ses amis une plus grande ou une moindre opinion
de soi, s'être fait aimer, moins ou davantage, au
cours d'un dîner, d'une conversation. C'étaient les
« actions » d'Emmanuel ou de Bertrand qui, pour
Antoine ou pour Marcel, suivaient les fluctuations
de ce cours imaginaire. Ce langage convenu sentait
encore le collège mais le génie est une longue ado-
lescence.

Dix-neuf ans plus tard, Proust se livrait secrète-
ment à la douceur du souvenir, lorsqu'il écrivait
dans son étude sur le style de Flaubert :

Cette *hausse* brusque et apparente que subit le talent
d'un écrivain dès qu'il improvise (ou d'un peintre qui
dessine comme Ingres) sur l'album d'une dame (laquelle
ne comprend pas ses tableaux), cette hausse devrait être
sensible dans la correspondance de Flaubert. Or, c'est plutôt une baisse qu'on enregistre [2].

1. Lettre I à Emmanuel et à Antoine Bibesco.
2. « A propos du style de Flaubert » (*N.R.F.*, janvier 1920).

Parmi les locutions familières des quatre amis, il en est une qui m'a émue quand je l'ai découverte dans le dernier volume du *Temps retrouvé*, car elle révèle la trace de la grande amitié poursuivie jusqu'au faîte de l'édifice. A la page 158 du dernier volume de Marcel Proust, presque au sommet de la flèche finale, il est question d'une « conjonction ». Dans le vocabulaire astronomique de mes cousins, ce mot avait une importance capitale. « Opérer une conjonction », cela voulait dire : amener deux personnes qui en valent la peine à se connaître. Le goût d'en faire atteignait chez eux la grandeur d'une vocation. Ils avaient opéré beaucoup de conjonctions avant moi : ils en opérèrent pour moi, et l'une des premières fut justement ma « conjonction » avec Marcel Proust.

*

En dehors du cercle restreint de notre famille française, je ne connaissais personne à Paris, que Paris même, quand j'y revins après mon mariage. Nos séjours étaient alors de courte durée. Une belle-mère qui n'aimait plus Paris depuis la chute du second Empire [1], un beau-père qui aimait Paris, mais qui était mort l'année de mes fiançailles [2],

1. La comtesse Valentine-Marie-Henriette de Caraman-Chimay, d'abord princesse de Bauffremont, puis princesse Georges Bibesco.
2. Le prince Georges Bibesco, de l'Institut, historien, auteur de *La Retraite des Six Mille, Belfort, Reims, Sedan, Le Règne Bibesco*, etc., ancien officier d'État-Major dans l'armée française.

m'avaient ôté l'espoir de nous y rétablir jamais. Toujours menacée d'un prompt départ, mes voyages en France, où j'avais passé le plus clair de mon temps depuis que j'étais née, prenaient la valeur sentimentale d'un retour, et mes absences, celle d'un arrachement à la vie.

Le contraste était profond entre l'existence que j'y menais pendant quelques semaines, et celle qui suivait mes retours dans ma vallée de Comarnic où je n'entendais, pendant les mois d'hiver, que le faible cri des mésanges m'assurant que je n'étais pas devenue sourde au milieu du mutisme des neiges. Mes deux cousins, Antoine et surtout Emmanuel, cherchaient à faire de mes brefs séjours à Paris un viatique qui durerait autant que mes onze mois d'ennui. Ce grand mystique de l'amitié qu'était Emmanuel Bibesco portait secours à ma jeunesse en peuplant ma solitude de livres nouveaux. Mais aussi, dès qu'il en avait le pouvoir, il m'en faisait connaître les auteurs. C'est ainsi que j'ai rencontré l'André Gide de *L'Immoraliste* et de *La Porte étroite*, le Tristan Bernard du *Roman d'un jeune homme rangé*, Jacques-Emile Blanche, Jacques Copeau, Léon Blum, — celui du *Mariage*, — et son frère, dit le Blumet, Henry Bernstein, et beaucoup d'autres, dans le rez-de-chaussée que mes cousins habitaient alors rue du Commandant-Marchand. A peine étais-je à Paris que les « conjonctions » s'opéraient en masse. J'avoue qu'elles me paraissaient de la nature des échanges frauduleux, étant sans contre-partie pour ceux qu'on appelait à me connaître. Qu'allaient-ils voir aux « thés Marchand » ? Qu'étais-je pour eux ? Une jeune étrangère de passage, et qui passerait vite. Pour tous ces hommes déjà célèbres, je n'étais que la cousine de mes cousins, et ils en avaient d'autres : Anna de Noailles, Hélène de Chimay...

A peine touchée par le rayon d'en haut, je retournais dans la sauvagerie de ma vallée, je retombais dans ce néant, inconcevable aux Parisiens, comme d'ailleurs aux gens de toutes les villes : la campagne.

Les « conjonctions », pour unilatérales qu'elles fussent, n'étaient pas toujours destinées à me faire connaître des personnes déjà connues. Deux amis qui, sans être célèbres, tenaient une grande place dans l'existence de mes cousins, me furent nommés comme des êtres d'un agrément infini et dignes de toute mon attention : c'était le délicieux Bertrand de Fénelon, le « Nonelef » des lettres, et, aussi, un étrange homme, Marcel Proust, que je rangeais de par sa barbe noire dans la catégorie des « Tristan » et dont je ne sus rien d'abord, sinon qu'il avait, comme Emmanuel, la passion des églises du XIIe siècle, mais empêchée par une maladie étrange qui lui ôtait le bonheur de voir le jour.

Cette maladie devait être nerveuse, car je savais qu'Emmanuel, le plus délicat des hommes, insistait constamment pour que Marcel Proust sortît, qu'il le violentait presque, et qu'il se vantait, lui qui jamais ne se vanta de rien, d'avoir forcé son ami au voyage de Chartres.

Une phrase de Proust, à laquelle j'ai longtemps rêvé, fait allusion à leur première promenade à la rencontre des flèches gothiques : « A ma droite, à ma gauche, devant moi, le vitrage de l'automobile que je gardais fermé, mettait pour ainsi dire sous verre la belle journée de septembre. »

A cette heure où je commence à saisir le dessin providentiel qui s'est composé sous mes yeux, Emmanuel étant mort, Fénelon mort, et Marcel Proust immortel, je fais la part de chacun et je m'aperçois que mon cousin accomplissait une tâche essentielle, une impérieuse mission, en voulant multiplier les « conjonctions » entre les cathédrales et celui qui allait continuer, dans les lettres, la tradition de l'art gothique, cette tradition qui, passée de l'architecture à la littérature, est encore une fois vivifiée par un thème végétal, le thème des aubépines et des arbres en fleurs. Cette identification d'Emmanuel avec les églises qu'il aimait, faite dans mon esprit, je la trouve consacrée dans une lettre de Marcel Proust à mon cousin :

Mon cher ami,
Si les Brancovan [1] *ne m'ont pas à jamais perdu dans votre estime, voulez-vous une séance de clôture où je pourrai voir*

1. Constantin de Brancovan, et ses deux sœurs Anna de Noailles et Hélène de Chimay.

enfin vos cathédrales, symboles exactement appropriés de votre esprit qui, grave avec les idées et sarcastique avec les hommes, retrouve sans doute dans leurs quatre feuilles, quelque chose de son dévouement aux unes et de son ironie pour les autres, contient comme leurs chœurs des trésors et des images et dresse vers le ciel son ardent interrogatoire, avec un élan dont je n'ai pas encore exactement mesuré la hauteur mais dont j'admire dans leur présence et leur foi, dans leur orientation innombrable, les jets concertants et multipliés. Mais cette fois-ci, c'est vos cathédrales, vos photographies, que je veux voir.

. . . .

Quant aux cathédrales que, quand j'avais des jambes, j'allais voir chacune à sa place lointaine et sacrée, ne pourraient-elles, en un concert touchant, maintenant que l'ami qui les aime ne peut plus aller les voir, me rendre toutes un soir sous les auspices de vos précieuses photographies [1], la visite que si souvent je leur fis. Il me semble que cela serait presque le sujet d'un conte qu'on prétendrait une « vieille légende française » pour que les « délicats » la trouvent « savoureuse », mais même au titan formidable et charmant que vous êtes, porter tous ces tympans, soulever ces archivoltes, déplacer tant de pierres est une bien grande fatigue. Ne le faites pas, cher ami. Mais bientôt si je vais mieux, avant de retourner à Amiens, à Reims, à Chartres, j'irai voir les cathédrales chez vous, où votre pensée les envi-

---

1. Emmanuel Bibesco possédait une collection de photographie des églises gothiques de France, qu'il visitait constamment et connaissait dans tous leurs détails.

ronnera d'assez de poésie. Et il me sera doux d'associer la poésie et l'amitié... [1].

Les lettres sont très nombreuses où Emmanuel est cité ou consulté comme expert en églises gothiques, depuis la première datée de Cabourg-Balbec, jusqu'à celle où paraît, pour la première fois, le nom de Saint-Loup, d'une résonance si émouvante depuis que Marcel Proust a nourri de sa plus riche substance sentimentale le nom de ce village de l'Ile-de-France.

Grand-Hôtel—Cabourg.

Cher ami,

Je vous remercie de tout cœur de votre charmante carte, cela m'a fait tant de plaisir que vous ayez aimé le petit article [2]; *vous êtes bien bon de me l'avoir dit. Je suis depuis huit jours à Cabourg (Grand-Hôtel) d'où je vais voir des églises à travers la Normandie. Si vous aviez des paysages ou des monuments à me recommander vous me feriez grand plaisir. Mais pressez-vous, car je vais bientôt quitter ce pays pour la Bretagne. Il est vrai que là aussi, vous pourriez me dire quelques lieux qui vous paraîtraient vraiment émouvants. Vous seriez étonné de me voir tous les jours sur les routes. Mais cela ne durera pas... J'espère qu'Antoine est bien, calme, laborieux, heureux, tout ce que*

1. Lettre VI à Emmanuel Bibesco.
2. L'article : « En mémoire des églises assassinées », paru depuis dans *Pastiches et Mélanges*, p. 91.

26

je ne suis pas! Je n'ai jamais été si agité, si stérile, si malheureux. Mais lui, lui a tant d'avenir devant lui qu'il faut absolument qu'il aille bien, qu'il soit content, qu'il travaille. Je crois que je pourrai lui faire beaucoup de bien, parce que je sais ce qui est bon sans avoir la force de le faire, et puis pour moi cela n'a plus d'importance. Cher ami, je vous aime beaucoup tous deux et vous envoie mes pensées les meilleures. Victor Hugo disait beaucoup mieux, ma pensée, la chose la meilleure que j'ai en moi.

MARCEL PROUST [1].

Cher Emmanuel,

Vous avez sans doute reçu un mot de moi implorant des directions archéologo-spirituelles pour la Normandie et surtout la Bretagne. Si comme je l'espère, votre réponse n'est pas encore partie, voudriez-vous y ajouter ce renseignement : la tapisserie de la reine Mathilde, de Bayeux, est-elle une chose vraiment belle et intéressante? Je suis allé à Bayeux et je n'ai pu la voir. Cela vaut-il la peine d'y retourner? J'ai vu Caen, Bayeux, Balleroy. J'ai toujours pensé à vous deux.
Votre ami dévoué,

MARCEL PROUST [2].

Dans aucune des lettres ni même des petits billets qu'Emmanuel reçut de Marcel Proust, la flèche

1. Lettre IX à Emmanuel Bibesco.
2. Lettre XIII à Emmanuel Bibesco.

gothique n'est absente. On l'aperçoit de partout. Voici le clocher de Senlis :

... Je garde un souvenir bien doux de cette soirée avec vous. Nous savons toujours donner de nobles témoins à nos entrevues et de gracieux cadres à leur souvenir : à défaut de la flèche de Senlis, les ancolies de Redon...[1] mais d'ailleurs c'est, comme disait M. de Rambuteau, une « superfétation » car, à ce décor suppléerait aisément notre double imagination, et, ce qui m'est plus précieux, notre double amitié, si ce n'est pas être un peu outrecuidant. Mais la modestie, ce serait peut-être... de l'ingratitude — que de préjuger la vôtre. Je ne vous demande encore ni guide pour Jersey ni protection pour Cabourg, car je crois que je resterai boulevard Haussmann[2]. A ce propos, c'est 102, numéro auquel vous en substituez qui me valent du facteur l'insultante mention d'inconnu.

Lorsque Emmanuel commence à influencer sérieusement Marcel Proust, les deux frères se liguent contre son asthme qui trop souvent l'empêche de prendre part à leurs promenades archéologiques :

Comme tu aimes les choses de médecine et aussi à me

1. Allusion à un tableau d'Odilon Redon, que possédaient les Bibesco.
2. A l'époque où cette lettre fut écrite la première phase de l'amitié, celle qui amenait Antoine et Bertrand de Fénelon presque tous les soirs rue de Courcelles, était terminée. Les amis n'étaient plus des voisins. Marcel Proust venait de déménager boulevard Haussmann.

croire un peu fou, je te dirai que j'ai consulté le médecin qui, avec Faisans, est considéré comme le meilleur, Merklen, qui m'a dit que mon asthme était devenu une habitude nerveuse et que la seule manière de le guérir était d'aller dans un établissement antiasthmatique qui existe en Allemagne et où on me ferait (car je n'irai sans doute pas) « perdre l'habitude » de mon asthme, comme on démorphinise les morphinomanes.

Je serai ravi de voir ton frère à son passage, mais est-il bien nécessaire d'attendre cela pour me confier les événements? Tu sais comme je suis discret et tu pourrais bien me les écrire. Enfin, sois juge et vois. Je voudrais que ton frère me dise ce qui est plus intéressant de la Charité ou de Nevers...

. . . .

En revanche, si ton frère veut me voir... nous pourrions nous voir très facilement tous les trois le soir quand il le voudra ou bien le jour, s'il veut aller voir les églises en province, mais avant que ma fièvre des foins ne commence, c'est-à-dire avant le 15 ou le 20 avril...

. . . .

Première hypothèse. Nous allons en auto ouvert et fermé. Vendredi à Provins, Saint-Loup, Dammarie. Deuxième hypothèse. Nous allons en chemin de fer (et Henraux peut-être en auto ouvert, car je crois qu'il irait volontiers malgré le temps à Provins seul — ou à Saint-Loup seul, ou quelque chose du même genre [1]...)

1. Lettre XXXII à Antoine Bibesco.

Mon cher Antoine,

Dis à ton frère charmant que j'ai écrit à Pâris [1], Lauris [2], Henraux [3]. — Au fur et à mesure que ce projet se précise j'en suis dégoûté et j'aimerais mieux partir un de ces soirs avec ton frère et toi nous réveiller à Autun, voir Vézelay et rentrer le soir à Paris. Attendons les réponses des automobilistes.

Ton MARCEL [4].

Les lettres m'ont révélé que toutes les parties de campagne, toutes les courses en automobile, n'ont d'autre but que de faire faire à Marcel Proust de nouvelles connaissances parmi les églises gothiques.

Car, tandis que Lecram garde encore pour le monde où ils vivent son masque d'insignifiance, les deux frères et leur ami Nonelef qui l'ont *reconnu*, dans le sens où l'on reconnaît un pouvoir nouveau, l'entourent déjà d'une déférence, d'une sollicitude exceptionnelles, que justifient des confessions comme celles-ci :

Tout ce que je fais n'est pas du vrai travail, mais seulement de la documentation, de la traduction etc. Cela suffit à réveiller ma soif de réalisations, sans naturellement l'assouvir en rien. Du moment que depuis cette longue torpeur

1. François, marquis de Pâris.
2. M. Georges de Lauris.
3. M. Lucien Henraux.
4. Lettre XXXI à Antoine Bibesco.

30

*j'ai pour la première fois tourné mon regard à l'intérieur,
vers ma pensée, je sens tout le néant de ma vie, cent personnages de roman, mille idées me demandant de leur donner
un corps comme ces ombres qui demandent dans l'*Odyssée
*à Ulysse de leur faire boire un peu de sang pour les mener
à la vie et que le héros écarte de son épée. J'ai réveillé
l'abeille endormie et je sens bien plus son cruel aiguillon
que ses impuissantes ailes. J'avais asservi mon intelligence
à mon repos. En défaisant ses chaînes j'ai cru seulement
délivrer un esclave, je me suis donné un maître, que je n'ai
pas la force physique de contenter et qui me tuerait si je
ne lui résistais pas* [1].

Voilà sa passion prédite et par lui-même. Ce sang,
qu'il va verser, sera le sien. Marcel Proust a été
confirmé dans sa voie pendant ses années de jeunesse par les trois amis qui croyaient en lui, et parce
qu'ils avaient la foi, ils exigèrent de lui le miracle;
et finalement, ils l'ont obtenu, au prix où se sont
toujours faits les miracles. Chacun d'eux voulait qu'il
lui donnât cette survie dont seul il disposait : Emmanuel le voulait pour l'amour de l'art gothique, au
nom d'une sensibilité plus délicate que les arbres
fruitiers en fleurs; Bertrand de Fénelon le voulait
pour que fussent sauvées les formes d'une société
séculaire et pour que ses « yeux bleus » survécussent
à la clarté du jour; Antoine, pour satisfaire une
invincible curiosité :

1. Lettre XXV à Antoine Bibesco.

Tu as été très gentil ce soir, mais tout de même tu es le marchand de mon âme, et j'aimerais mieux pouvoir te rendre toutes tes gentillesses, et pouvoir la reprendre, et la retrouver telle qu'elle aurait été si je ne l'avais pas vendue, avec ses secrets intrahis, sa pudeur impolluée, ses tombeaux et ses autels inviolés. Par moments se dresse devant moi le visage défunt et plein de reproches de ce qui aurait pu être et de ce qui n'est pas, c'est-à-dire l'être meilleur que j'aurais été si, pour te renseigner coûte que coûte, je n'avais pas vendu ce que personne ne devrait pouvoir acheter, et ce qu'en réalité le diable achète seul, mais hélas, it may be not mended and patched, and pardonned, and worked up again as good as new [1].*

La part de chacun définie, qu'apportais-je à mon tour dans ce monde en fusion, à l'époque tardive où j'apparus? Quelle fut ma part dans la genèse? Un jour, une heure, j'ai donné une note brève au thème du printemps, parce que j'étais arrivée après eux, avant d'enrichir, à mon tour, le thème de la mort.

Mes cousins se plaisaient à mystifier leurs amis à propos de mon extrême jeunesse; je cachais alors mon âge : c'était pour des raisons inverses de celles qui suscitent généralement ce genre de mensonges. « Ouvrier de la onzième heure », j'étais admise à

1. « Cela ne peut pas être rapiécé, et pardonné, et refait aussi bien que si c'était neuf. » Lettre LXIV à Antoine Bibesco.

partager indûment les bénéfices de la journée. Mon mariage, d'une précocité qui n'était plus dans les mœurs de la société française depuis le xviiie siècle, rendait la mystification facile : on me prenait pour une jeune fille qui portait un titre, à la mode des pays étrangers. Des vers comiques, adressés par Marcel Proust à Emmanuel font allusion à cette méprise qui s'était renouvelée plusieurs fois, au grand amusement de mes cousins. Commettant la même erreur que Proust, Claude Anet, invité à déjeuner avec nous à Versailles pour poser les jalons d'un voyage en Perse, m'avait appelée « Mademoiselle » sans que mes cousins voulussent le détromper. A la fin du repas, Antoine me demanda des nouvelles de ma petite fille, ce qui ne parut pas déconcerter autrement l'auteur de *Mademoiselle Bourrat*, et fit scandale. Mon enfant avait un an, j'en avais seize de plus qu'elle; cela paraissait invraisemblable à des hommes qui vivaient à Paris, où une femme n'a de conversation, de personnalité, de société, qu'environ la trentaine, cette « trentaine éblouissante » que vantait alors un personnage de Bernstein, dans *Israël*.

A l'époque de ma première conjonction avec Marcel Proust, j'eus du moins le bonheur de lui apparaître de la couleur du temps qu'il préférait, couleur d'aube, et associée par le souvenir à une promenade que nous fîmes sans lui à Saint-Loup-de-Naud et dans la vallée de Chevreuse, ce qui lui permit d'en rêver :

Cher Emmanuel,

Ce n'est pas une formule, car vous m'êtes « cher ».
D'abord merci, car ce que vous me proposez est à peu près
la chose qui pouvait m'être la plus agréable. Vous savez
ce que je pense de votre cousine et d'une matinée de printemps [1]. Vous ne savez peut-être pas que depuis un soir
récent où je l'aperçus salle Pleyel, la princesse, infiniment
préférable à la duchesse de Hugo, ne quitte pas mon imagination. C'est au point que je pense volontiers à un jeune
homme dont les cheveux sont assortis aux siens, et qui est,
paraît-il, son cousin, comme il y a vingt ans, quand j'étais
amoureux de la comtesse A. de C... je me rapprochais de
W..., son neveu, comme Madame de C..., alors P..., mais
abrégeons...

. . . .

Je crois que je vous ai fait mesurer ma délicatesse. Seulement je viens d'être grippé (très peu), mais bien que je sois
en train de changer merveilleusement mes heures, car j'arrive à
être réveillé à deux heures de l'après-midi au lieu de deux
heures du matin, tout de même neuf heures et demie, ce qui
m'obligerait, à cause des fumigations, etc., à me faire réveiller à quatre heures du matin, ou même à trois heures (c'est-
à-dire à ne pas m'endormir) serait par trop compliqué,
impossible. C'eût été possible il y a un mois, quand mes heures
étaient encore mes anciennes heures, je me serais tout naturellement réveillé à deux heures du matin, levé, j'aurais été
prêt vers huit heures, et j'aurais attendu le moment de partir

1. « Cette merveille inconnue, un matin de printemps. » « Vacances
de Pâques », *Le Figaro*, 25 mars 1913.

avec vous, mais retomber dans cette vie au moment où j'ai l'espoir (faible, hélas!) de m'en évader, serait absurde. Cher ami, je me rappelle Senlis, Saint-Leu, Laon, Coucy, toutes les précieuses choses que vous me disiez les petits amandiers en fleurs, et je suis malheureux de penser au bonheur auquel je renonce.

Ma seule consolation est de penser qu'à C... nous aurions été sans doute reçus par X... de Z... et cet homme me cause un sentiment de véritable malaise. Je lui trouve une mentalité absurde et des manières irrespirables. Comme j'aimerais voir C...! Je ne connais rien et avec vous, cela serait si agréable! Si pour une chose de ce genre, il n'est pas ridicule que j'offre mon humble entremise, je suis en bons termes (sans liaison) avec le duc de Guiche, et je pourrais par lui, faciliter une telle expédition. Du reste, peut-être le connaissez-vous aussi. Il est aussi fidèle et charmant que le noir époux de X... est épineux et contrariant. Il est vrai que je ne suis pas sans responsabilité à cet égard. Je crois, du reste, qu'il est très brave homme, mais je préfère le duc, et surtout la princesse. Que vous serez heureux de passer cette journée avec elle jusqu'à l'heure où, comme chez celle du poète : « Le clair de lune bleu baignera l'horizon »!

Que de choses à vous raconter! Peut-être Mademoiselle de B... (qui m'a envoyé avant-hier de merveilleux œillets) sera-t-elle de cette incomparable fête, vraiment mon regret est profond.

Merci encore.

MARCEL PROUST [1].

1. Lettre XXVI à Emmanuel Bibesco.

De cette lettre, qu'Emmanuel m'envoya, je ne retins que la matinée de printemps et les petits amandiers en fleurs. Je les emportais dans ma mémoire comme un talisman, comme un baume destiné à lutter contre les rigueurs du froid, dans ma solitude de Comarnic, où je retrouvais l'hiver, encore loin d'être achevé, à cette altitude et dans ce climat.

Cette première lettre de Proust, où il me nomme, m'a révélé la raison pour laquelle il me recherchait, et j'ai su par elle la nature de l'intérêt que je lui inspirais et de ce peu de plaisir que j'ai pu lui faire, à mon insu. Comme Emmanuel est entré dans son œuvre avec les cathédrales, et Bertrand avec ses « yeux bleus », avec l'affabulation de « la race rose et dorée », j'y suis entrée, après beaucoup d'autres, et pour ma faible part, avec ce don involontaire que nul ne fait qu'une fois : « Après vingt ans », a-t-il écrit dans *Le Temps retrouvé*, « je voulais chercher au lieu des filles que j'avais connues, celles possédant maintenant la jeunesse que les autres avaient alors... »

*

Un an plus tard, il arriva aux Ocsebib une aventure renouvelée de Montesquieu : nous devînmes les Persans de Paris. A l'instigation d'Emmanuel, un de mes oncles, alors ministre des Affaires étrangères de Roumanie, confiait à mon mari, âgé de vingt-quatre ans, une mission diplomatique en Perse, et nous partions en ambassade pour Téhéran, avec trois automobiles, des lettres de créance, et très peu de bagages. Nous emmenions pour historiographe un correspondant du *Temps :* c'était Claude Anet.

Jamais voyage ne fut moins littéraire au départ et ne le devint davantage par la suite. Claude Anet fit un volume de ses correspondances : *La Perse en automobile.* Quant à moi, sans préméditation, sans presque oser me l'avouer à moi-même, de mes notes rédigées en chemin, je tirai un gros manuscrit.

De retour à Paris, il n'était personne qui ne nous fît raconter notre voyage. Se peut-il qu'on soit Per_ san? Barrès, si Lorrain d'intention, mais que la Perse faisait rêver davantage, désira connaître une personne qui en venait. Il me questionna longuement sur notre itinéraire : il voulut savoir lequel des deux chemins, celui du golfe Persique, ou celui de la mer Caspienne, était le plus aride; s'il y avait encore des soufis à Ispahan, et des disciples du Bâb à Schiraz. Notre conversation prenant fin, il me retint encore :

— Quand publiez-vous votre livre?

Je croyais être seule à savoir que j'en avais fait un.

— Comment écrire sur la Perse après Loti? répondis-je.

— Loti a écrit sur Ispahan le livre d'un vieux monsieur : vous, celui d'une femme de dix-huit ans. Cela n'a aucun rapport.

Le tentateur avait parlé. Un an plus tard, *Les Huit Paradis* paraissaient aux vitrines des libraires. Le lendemain de ce jour, je quittai Paris, sans que jamais mon départ ne m'eût coûté moins de larmes. Dans ma vallée silencieuse, les cris des mésanges n'étaient plus seuls à m'avertir que je n'étais pas devenue sourde. Je recevais de nombreuses lettres de Paris qui m'apportaient dans la solitude les rumeurs de la ville où j'avais réussi à vivre en idée.

Une des premières lettres qui m'arriva était de Marcel Proust. Comme je ne l'avais vu qu'une fois, rue du Commandant-Marchand, comme je n'avais pas même soupçonné sa présence salle Pleyel, pendant ce concert où il disait m'avoir vue, ni à cette représentation de l'Opéra où Van Dyck chantait *Tristan*, où Proust m'apercevant dans une loge, avait cru voir une jeune fille, je ne m'attendais guère à ce qu'il m'écrivît, je me croyais trop peu liée avec lui, et la preuve que je ne l'étais pas, c'est qu'il ignorait jusqu'à mon adresse en Roumanie, qu'il l'avait obtenue d'Emmanuel, et l'en avait remercié par cet épître en vers burlesques :

> *Faire assavoir à la Princesse* [1]
> *Qu'elle est belle et géniale* (sic)
> *De cela je n'ai pas de cesse.*
> *Mais où l'écrire c'est le hic?*

[1] « Je vous envoie cette lettre savoureuse » (note marginale d'Emmanuel Bibesco).

Nohant où fut Sand et Amic
Serait une adresse immortelle
Proche de nous et digne d'elle
Ou dans mon auto (marque Unic)...

Mais la France en mars n'est pas chic,
Et plus loin elle a pris son clic,
Écrivons-lui donc qu'elle est belle :
Mais où l'écrire ? c'est le hic.

Balzac situait à Pornic
Entre des fleurs de basilic
L'illustre Aurore, poétesse,

Et pour l'aimable Ferrari [1]
Dont un censeur sévère a ri
Le moindre Stourdza est Altesse.

Altesse (louchez, ô Soltyck)
Celle qu'à Tristan (par Van Dyck)
Mes yeux voulaient célibataire

Et qu'Eustaziu ou Popesco
Nicolaïde ou Grescesco
Visiteront seuls, dans sa terre...

Cher Emmanuel, j'ai sommeil et j'en reste là de cette magnifique pièce qui, comme vous le supposez, était destinée

1. Chroniqueur mondain du *Figaro*.

à amener et à sertir le fabuleux Comarnie, *dont vous m'avez bercé ce soir. A tout hasard j'envoie ma lettre avec cette simple adresse. Je suppose qu'elle suffira à la conduire jusqu'à la princesse.*

Votre si reconnaissant,

MARCEL [1].

En même temps qu'il m'adressait les vers de son ami, Emmanuel m'avoua sa bienveillante super-cherie. Il avait envoyé *Les Huit Paradis* à Marcel Proust comme venant de moi. C'est ainsi qu'il continuait à favoriser notre « conjonction ». L'épître rimée m'annonçait une lettre du « Flagorneur », nom qu'Antoine donnait à Marcel Proust, quand celui-ci avait recours à la flatterie par système. C'était pour imiter Stendhal, faisant le soir son examen de conscience et commençant par cette question : « — Ai-je assez flatté aujourd'hui ? » J'étais fâchée qu'il en usât pour moi. Je savais que « génie » et « beauté » étaient le moins qu'on pût dire à une femme de lettres depuis Mᵐᵉ Louise Colet jusqu'à nos jours ; mais je demandai qu'on me traitât autrement. J'avais écrit un livre, j'en désirais écrire d'autres, mais je ne voulais aucunement devenir une femme de lettres. C'est par la même contradiction du cœur qu'enfant je souhaitais passionnément vivre, ne pas mourir, comme mon frère qui mourut à l'âge de

1. Lettre à Emmanuel Bibesco.

huit ans, et cependant je demandais à Dieu dans mes prières de m'épargner le malheur de devenir une grande personne. Tel était à six ans mon jugement passé sur la vie, tel je le retrouvais en quelque sorte, à dix-huit ans... « La magnifique pièce » de Marcel Proust me montra l'ilote ivre. Les mots « poétesse », « illustre Aurore », la comparaison avec George Sand me désespérèrent. La lettre qui suivit, reçue au fond des bois de Comarnic, où j'étais pire et mieux qu'une provinciale, une solitaire, m'inspira des réflexions graves comme la jeunesse, comme elle implacables, et me fit prendre une résolution que j'allais regretter dans la suite, puisqu'elle allait m'éloigner de Marcel Proust.

La lettre suivit la ballade qui l'annonçait :

102, boulevard Haussmann.
Lundi, 29 mars.

Princesse,

La tristesse de savoir que vous êtes partie pour longtemps est plus grande maintenant que je vous ai revue, que vous m'avez longuement parlé, que j'ai lu ce livre, ou regardé cette suite ininterrompue d'aquarelles admirables et limpides, quel nom peut-on donner à cette œuvre d'art nouvelle qui s'adresse à tous les sens à la fois, les enchante tous, tous et même l'intelligence philosophique en même temps que l'odorat et le toucher (je parle à un philosophe), ce qu'on appelle, tout court, les sens et il y a même, si l'on peut donner ce vilain nom à de belles choses, de la critique littéraire. (Je ne pense pas seulement à tout ce folklore oriental que vous inventez bien, je suppose, un peu, ou à l'épigraphie funéraire, mais à ces pages délicieusement peintes en turquerie XVIIe siècle, où vous faites tout un décor, toute une atmosphère à un vers de Bajazet [1]. Ah! vous n'êtes pas comme les femmes d'Ispahan qu'on ne connaît pas dans leur sac, sous leur masque. Dès les premières pages, il semble qu'on ait soupesé votre corps fourbu par l'insomnie, senti la chaleur de vos paupières que la lumière a rouvertes trop tôt. Et cette gaîté enfantine qui doit seule pouvoir vous aider à porter le poids de votre pensée perpétuelle, gaîté dont la traduction et le commentaire verbal seraient bien charmants si quelque jour vous vouliez nous mimer vos « salutations à n'en plus finir » à Azodos-Sultan. Vous êtes un écrivain parfait, Princesse, et ce n'est pas peu dire quand comme vous on entend par écrivain tant d'artistes unis, un écrivain, un parfumeur, un décorateur, un musicien, un sculpteur, un poète. Parfois la continuité de la beauté finit par donner un peu de monotonie. C'est de recéler chacune un trésor qui rend parfois vos dalles identiques. Je me permettrai seulement trois critiques : « Corps de femme [2] » est devenu, je ne sais pourquoi, employé ainsi, vulgaire. Vous avez craint que si le mot femme ne reparaissait pas, il n'y ait amphibologie. Tout de même, il me semble que cela peut s'arranger et vous êtes un artiste si habile que

1. « Bajazet, écoutez, je sens que je vous aime » (Racine). — *Les Huit Paradis*, p. 235.
2. *Les Huit Paradis*, p. 13 et 14.

vous trouverez bien mieux que moi. J'ai noté (mais je n'ai pas le livre sous la main) une ou deux phrases à la Barrès (qui sont peut-être des phrases à la Pascal : « Le... Quel... pour... »). Or je suis l'ennemi de tout pastiche, excepté quand il est voulu, et encore! Enfin, et surtout, et je l'avais même écrit à Madame de Noailles, elle a, à mon avis, pour au moins une durée de cinquante ans, supprimé pour tout autre, la possibilité de s'adresser, en discours direct à des villes, etc... Tout ce qu'on fera dans ce genre, sous cette forme, si sincère, vécu, antérieur à elle que cela soit, et à moins qu'en descendant longuement et profondément en soi-même au cœur de son cœur, ou plutôt au cerveau de son cœur, on ne trouve une expression différente et entièrement individuelle, tout aura l'air imité d'elle, son rayonnement boira toutes nos clartés. Je dis « nos » bien prétentieusement, parce que moi-même, j'ai dû brûler presque un volume sur la Bretagne, écrit avant d'avoir jamais rien lu d'elle et où les

> *Quimperlé!...*
> *Pont-Aven!* [1]

semblaient venir de L'Ombre des Jours ou de La Domination. Mon sacrifice était nécessaire mais il a été sanglant. Il ne sera peut-être pas définitif, les sacrifices littéraires le sont rarement. A ce point de vue j'ai regretté le choix pour le supplément du Figaro [2] *de pages, où justement le lecteur*

---

[1]. On retrouvera le passage sur Pont-Aven et Quimperlé dans *Du côté de chez Swann* (t. II), mais dépouillé du vocatif et des points d'exclamation.

[2]. *Les Huit Paradis*, p. 93.

pouvait se méprendre, où moi-même je n'ai pas trouvé tout de suite l'originalité qui m'a plus tard enchanté dans le livre, mais l'admirable pensée[1] *que vous citez et qui le clôt, l'apparente plutôt à certains morceaux de Ruskin que vous ne connaissez certainement pas et qui, eux, ne lui enlèvent rien d'une originalité si différente.*

Daignez accepter, Princesse, tous mes respects.

MARCEL PROUST.

Cette lettre me fit une impression difficile à définir. Libellée selon les pures conventions, s'achevant sur la plus cérémonieuse des formules : « Daignez..., etc. », c'était bien dans l'apparence, la lettre d'un homme que je n'avais vu qu'une fois, mais elle changeait de ton dès la première ligne, et prenait un accent de sincérité, de familiarité, de gentillesse sentimentale que je ne pouvais m'expliquer. « La tristesse de vous savoir partie... » Comment mon départ, qui n'attristait que moi, et chaque année davantage, pouvait-il rendre triste quelqu'un qui ne me connaissait pas, ou si peu ? Comment osait-il m'écrire tant de choses familières, personnelles, ici, sur un ton de confidence, là, sur un ton de magister ? Je lui donnai raison de me mettre en garde contre tout ce qui pouvait être, ou seulement paraître en moi le reflet

---

1. *Ne vous attachez pas à cette terre si belle, car le jour passera sur vous. Et le Temps compte chacune de vos pulsations.* (*Les Huit Paradis*, p. 282.)
J'avais nommé le Temps, le héros des livres de Marcel Proust.

d'Anna de Noailles. J'admirais ma cousine, que *Le Cœur innombrable*, *La Nouvelle Espérance*, *L'Ombre des jours*, *Le Visage émerveillé*, *La Domination*, *Les Éblouissements*, avaient déjà portée au faîte de sa gloire littéraire. Mais il fallait éviter le péril, à ma source, de devenir son affluent. Emmanuel l'avait compris. Lui aussi regrettait pour cette raison que l'éditeur, sans consulter mon inexpérience, eût choisi pour *Le Figaro* cette invocation à la ville qui déplaisait à Marcel Proust. Dans ce que nous appelions le « monde-monde » ou le « monde-et-la-ville » pour le distinguer d'avec l'univers, la nouveauté est toujours assurée de plaire à condition de n'être point trop neuve : *Les Huit Paradis* venaient d'y recevoir un trop bon accueil. Celles qui décident, les péremptoires, avaient décrété : « C'est de l'Anna de Noailles en prose. » Le verdict répété de salon en salon avait dispensé de lire davantage. Par quelle transmission de pensée Marcel Proust, pour moi presque un indifférent, prenait-il si naturellement le point de vue de l'ami éprouvé, l'opinion d'Emmanuel ? Je n'avais pas encore compris que si je n'étais rien, par moi-même, dans l'existence de Marcel Proust, j'y jouais cependant, par analogie, un rôle dont je n'allais connaître l'étendue et les merveilleuses ramifications qu'après être entrée dans son œuvre, comme on entre dans une de ces églises gothiques qu'il aimait, après m'être avancée jusqu'au chœur, d'où l'on découvre l'ensemble et les nefs latérales, après avoir lu surtout ses lettres à Antoine et à Emmanuel qui m'ont permis de toucher le fond des richesses sentimentales accumulées, dont j'étais bien ignorante, lorsque j'en reçus ma part imméritée. Ainsi « le fabuleux Comarnic » n'était fabuleux que parce qu'il se superposait au nom d'un autre village roumain, Corcova, qui, celui-là, avait servi d'étape à Marcel Proust sur le chemin de Constantinople où se trouvait alors Bertrand de Fénelon, et de but au voyage idéal qui l'avait conduit mille fois vers Antoine, et plus particulièrement vers la douleur d'Antoine, qui venait alors de perdre sa mère. Car, pour Marcel Proust, le chagrin est un lieu géographique où nous allons nous retrouver. Il m'y donnait rendez-vous dès notre première rencontre. N'étais-je pas accompagnée déjà par l'ombre d'une morte? La princesse Bibesco, c'était pour lui, d'abord, la mère d'Antoine et d'Emmanuel, cette tante Hélène [1] que j'ai à peine connue, mais dont j'ai, à mon insu, ressuscité le souvenir, réveillé l'écho, promené le fantôme de salon en salon, par la puissante incantation du nom à qui l'imagination obéit, jusqu'au jour où je l'ai supplantée dans les mémoires, lui donnant involontairement une seconde mort. Je ne puis lire la première lettre de Marcel

[1]. La princesse Alexandre Bibesco, née Hélène Epourano, fille de M. Kostaki Epourano, président du Conseil de Roumanie en 1879. Elle était très douée pour la musique et connut personnellement Liszt et Wagner. Elle entretint des amitiés avec Renan, Leconte de Lisle, Anatole France, Loti, Jules Lemaître, le duc d'Aumale, Lord Salisbury, Gounod, Porto-Riche, Puvis de Chavannes, etc.

Proust à Antoine, où je vois apparaître l'image d'une autre femme, descendue au tombeau sous ce nom que je ne portais pas encore, sans penser à ce passage du *Temps retrouvé* :

La succession au nom est triste comme toutes les successions, comme toutes les usurpations de propriété; et toujours sans interruption, viendraient comme un flot de nouvelles princesses de Guermantes, ou plutôt, millénaire, remplacée d'âge en âge dans son emploi par une femme différente, vivrait une seule princesse de Guermantes, ignorante de la mort, indifférente à tout ce qui change et blesse nos cœurs — et le nom comme la mer refermerait sur celles qui sombrent de temps à autre sa toujours pareille et immémoriale placidité [1].

Cette façon de sentir si particulière, et qui donne un démenti aux vers de Hugo :

Le corps se perd dans l'eau, le nom dans la mémoire,
Le Temps qui sur toute ombre en jette une plus noire,
Sur le sombre Océan, jette le sombre oubli...

me fit comprendre plus tard d'où venait le goût mélancolique de Marcel Proust pour le nom que je portais. Pendant toute la première période de la grande amitié, à l'époque où ses distractions, ses sorties, son amusement, son bonheur, dépendaient entièrement, comme il arrive dans la jeunesse, des

1 *Ie Temps retrouvé*, p. 133.

visites que lui faisaient Antoine ou Emmanuel, la seule princesse Bibesco qui existât pour lui était la mère de ses amis. Quand elle mourut, par une opération de sa cruelle sensibilité, il assimila par avance leur douleur à celle qu'il devrait éprouver un jour lui-même à la mort de sa mère, qui alors était vivante :

Mon petit Antoine,

Quand je pense que tu ne me permettais même pas de te parler de ce que je ne savais pas encore être tes inquiétudes, j'ai peur que tu ne jettes avec colère une lettre de moi en ce moment. Mais tout de même permets-moi, sans troubler un instant ta douleur, de te dire à quel point j'en suis possédé. Si tu savais combien de fois depuis ce matin j'ai refait, mon pauvre petit, ton voyage, le moment où tu appris tout, ton arrivée trop tard et ce qui a pu suivre. J'ai peur de la violence de ton chagrin, je voudrais être près de toi sans que tu le saches. Cela me rendrait bien malheureux de te voir ainsi, mais peut-être moins que de ne rien savoir, de trembler à tout moment, de me dire à chaque minute qu'en ce moment même tu es en sanglots à te briser. Ma tendresse pour maman, mon admiration pour ta mère, ma tendresse pour toi, tout cela s'unit pour me faire ressentir ta souffrance à un point que je ne croyais pas qu'on pouvait souffrir du malheur d'un autre, même quand cet autre est devenu un peu vous-même, tant on avait pris l'habitude d'en faire la plus grande partie de son bonheur, qui se trouve détruit en même temps que le sien. Quand je pense que tes pauvres yeux, tes pauvres joues, tout ce que j'aime tant, parce que ta pensée et ton sentiment y habitent, s'y expriment, y vont et viennent sans cesse, seront si longtemps, seront toujours remplis de chagrin, et maintenant pleins de larmes, cela me fait mal physiquement de t'imaginer ainsi. Je t'écrirai, je ne t'écrirai pas, je te parlerai de ta peine, je ne t'en parlerai pas, je ferai ce que tu voudras. Je ne te demande pas d'avoir de l'affection pour moi. Tous tes autres sentiments doivent être brisés. Mais je n'avais jamais senti que j'en avais autant pour toi. Je suis très malheureux.

MARCEL PROUST [1].

Dimanche.

Mon petit Antoine,

Je suis bien malheureux de ne pas avoir de tes nouvelles, mais je comprends bien que tu ne puisses pas écrire et je ne te demande pas de m'en donner. Seulement je veux te faire une proposition. On a l'air de dire que tu vas peut-être rester tout cet hiver en Roumanie. Moi, tu sais qu'à partir de janvier on ne me laissera peut-être pas rester à Paris. Veux-tu que je vienne m'installer dans le voisinage de l'endroit où tu es, que j'emporte du travail et si je n'y ai pas d'asthme je pourrai passer février, mars, si tu y es encore avril, s'il n'y a pas de fleurs, mai, auprès de toi, ne te gênant pas puisque je serai à quelque distance de toi, mais pou-

1. Lettre CVII à Antoine Bibesco.

49

vant tous les jours où tu aimerais mieux me voir venir causer avec toi et tous les jours où tu aimerais mieux, ne pas le faire. Ce ne peut être une formelle promesse que je te fais là parce que je peux être malade, mais enfin c'est un grand désir, une intention très arrêtée si elle s'arrangeait avec les tiennes. Je ne sais pas par qui je pourrais avoir de tes nouvelles. Les Noailles avaient dit qu'une gouvernante devait venir qui en aurait, mais elle n'est pas venue. J'ai peur que tu ne sois repris de ces états nerveux que tu avais quelquefois. Et ton frère, j'aurais aussi voulu savoir comment il est. Est-ce que cela vous fait plus de bien, plus de mal d'être ensemble, je ne peux pas me rendre compte de tout cela. La vérité c'est que je ne me rends compte de rien sinon de l'infini de votre malheur. Est-ce que tu peux lire un petit peu. J'ai bien peur que non. Du reste pour toutes ces questions que je me pose à ton endroit ce sont toujours les mauvaises réponses qui me paraissent les plus probables. Seulement tout de même je voudrais que chez toi la vie de l'esprit ne s'arrête pas, par docilité en quelque sorte aux vœux de ta mère, pour la seule chose à laquelle elle tenait. Et pour la vie de l'esprit, une certaine santé est nécessaire, j'en sais quelque chose. Et pour la santé il ne faut pas laisser le chagrin devenir ou rester quelque chose de trop aveugle et de trop malfaisant. Je ne veux pas dire chercher à le diminuer, ce qui ne serait pas possible et ce qu'on ne voudrait pas, mais chercher à en faire une douce union de l'intelligence et du cœur, de la tendresse et de la mémoire, avec l'être dont rien au fond n'a pu nous séparer. Mais pas la douleur mal physique qui finit par ruiner le corps, *par obscurcir la mémoire au point qu'on ne peut même plus revoir les images qu'on voudrait à chaque instant évoquer. C'est peut-être beaucoup te demander. Mais peut-être en essayant d'y amener ton frère, pour faire plaisir à votre mère, y arriverais-tu aussi afin de lui servir d'exemple. Tâche, quand tu auras le courage, de me mettre deux lignes sur un papier. Jamais deux lignes de toi ne m'auront été aussi précieuses. Elles auront été désirées, attendues par tant de questions incessantes, de rêves, de suppositions, des soirées et des nuits. J'espère que ton corps au moins a résisté, que ton esprit est courageux, et que tu peux trouver de la douceur, je n'ose pas dire de l'espérance, mais au moins dans le souvenir... Ne puis-je rien faire à Paris pour toi?*

Ton ami,

MARCEL PROUST [1].

Cette somme de chagrin qu'il a dépensée en anticipations et par analogie, il se l'est représentée sous mon nom. Et quand, beaucoup plus tard, j'en fus investie, l'écho de cette tristesse et du bonheur qui l'a précédée, hante encore pour lui les syllabes enchantées. En lisant sa correspondance je vois la substitution s'accomplir, en quelque sorte, sous mes yeux. Environ la deux centième lettre, je nais au nom, et pour que je vive, il faut qu'une autre meure. Pendant quelque temps, Marcel Proust ne dira pas autrement, parlant de moi, que : « votre

1. Lettre CVIII à Antoine Bibesco.

cousine ». Et puis, un jour, c'en est fait : la représentation mentale a changé, son imagination a tué la morte au profit de la vivante : quand il écrit aux fils eux-mêmes, ce n'est plus de leur mère qu'il parle en disant « la princesse Bibesco », et tous les trois le savent. J'ai assisté, impuissante, à ce naufrage d'une personnalité qui fut aimée, d'une femme qui charma ses contemporains par la magie de la musique. A mes débuts dans la société parisienne, je ressuscitai son souvenir : ceux qui me parlaient d'elle étaient encore nombreux. Ils devinrent clairsemés, puis de plus en plus rares : les derniers hommes qui ont prononcé son nom devant moi furent Pierre Loti et Anatole France : leurs voix se sont tues : il y a trois ans encore, pour une vieille marchande, pour un vieux médecin, moi, c'était encore un peu elle, et puis, plus rien...

Marcel Proust m'a fait comprendre les raisons qui parfois nourrissent et suralimentent les haines de famille, voire celles entre personnes de même rang ou simplement, par extension du nom générique, celles de compatriotes établis en pays étranger. Il ne s'agit plus seulement de la succession au nom où l'une le cède nécessairement à l'autre, mais d'atteinte à la propriété individuelle, d'empiètement continu, d'un attentat exaspérant dont souffre l'ectoplasme sacré de la personnalité. Il s'agit enfin d'une délimitation, d'un partage où la sortie d'indivision est impossible. Je sais des personnes qui se seraient naturellement aimées, tombant dans le sentiment contraire par le fait d'être devenues des homonymes. Entre belles-sœurs, entre belles-mères et belles-filles, entre cousines, ce sont des comparaisons, donc des préférences, qui ne se peuvent manifester qu'au détriment l'une de l'autre. C'est une excitation continuelle de l'instinct de conservation. En y pensant, une formule de physique me paraît seule appropriée à ce mal inguérissable : Les électricités de nom contraire s'attirent; les électricités de même nom se repoussent.

Dans la troisième lettre où Marcel Proust ose parler au fils de la mort de sa mère, on trouve déjà, à cette époque si lointaine, la préfiguration de la scène fameuse du téléphone à Doncières. Cette lettre fut adressée à Corcova où la douleur avait fait se terrer Antoine, où Marcel Proust se proposait de le rejoindre et de passer plusieurs mois auprès de son ami malheureux :

Mon petit Antoine,

J'avais beau penser tout le temps à ton chagrin et me l'imaginer cruellement, quand j'ai reçu ta pauvre lettre, quand j'ai vu ta petite écriture entièrement changée, presque pas reconnaissable, avec ses lettres diminuées, rétrécies comme des yeux qui sont devenus tout petits à force de pleurer, ç'a été pour moi un nouveau coup comme si pour la première fois j'avais la sensation nette de ta détresse. Je me

53

rappelle que quand maman a perdu ses parents, ce qui a été pour elle une douleur après laquelle je me demande encore comment elle a pu vivre, j'avais eu beau la voir tous les jours et toutes les heures, chaque jour, une fois que j'étais allé à Fontainebleau où je lui ai téléphoné, et dans le téléphone tout d'un coup m'est arrivée sa pauvre voix brisée, meurtrie à jamais, une autre que celle que j'avais toujours connue, pleine de fêlures et de brisures, et c'est en recueillant dans le récepteur les morceaux saignants et brisés que j'ai eu pour la première fois la sensation atroce de tout ce qui s'était à jamais brisé en elle...

. . . .

Je ne te demande pas d'écrire. Maintenant que j'ai senti quel effort c'était pour toi, mais ne peux-tu me faire dire par quelqu'un tes intentions et si ma proposition d'aller à Corcova passer mars, avril, mai, juin si tu veux (et s'il n'y a pas de fleurs) t'irait... Quoi qu'il arrive, je m'arrangerai toujours à passer un bon mois auprès de mon pauvre petit Antoine, à pleurer près de lui ou plutôt à ne pas pleurer, à tâcher de le rattacher à la vie, à être gentil, gentil tout ce que je pourrai. Hélas, déjà je me reprochais dans mes lettres de ne t'avoir parlé que de ta douleur et je voulais commencer à te parler de choses et d'autres en commençant par les moins offensantes pour ta peine et celles qui ayant un petit intérêt d'intelligence, un petit attrait d'habitude, retrouveraient le plus aisément et en te faisant le moins de violence « le chemin de ton cœur ». Mais ta pauvre lettre me rejette au bas du chemin que j'avais gravi avec mes petites nouvelles qui pouvaient non *pas t'intéresser mais enfin entrer dans ton attention.— Et je te sens si épuisé, si détaché — ou si absorbé, que je n'ose plus rien te dire et n'ose plus rien te raconter de ce que je voulais* [1]...

. . . .

... Si en décembre tu peux faire quelque chose tout de même sans moi, plutôt que d'aller en Égypte, tu ferais mieux d'aller à Constantinople où tu verrais Bertrand. Ta présence lui adoucirait le début de son exil et la nouveauté de sa solitude. Et ton ancienne amitié pour lui te rendrait en somme sa compagnie assez douce et de celles pour lesquelles on n'est pas obligé de faire taire son chagrin et qui sont si insupportables.

. . . .

*Tout le monde parle de toi avec une grande et triste sympathie. Plusieurs amies à toi, que j'ai connues depuis peu, comme M*me *Le Bargy et M*me *Tristan Bernard, m'ont très touché en me parlant de toi, mais je veux te dire ce qui m'a le plus touché. J'étais allé chez Gallé pour faire arranger quelque chose à un vase. On me répond que les ouvriers ne peuvent travailler, M. Gallé père étant mort le jour même. Je réponds à l'employé que ce doit être une grande peine pour M. Gallé. « Monsieur Gallé ne le sait pas. — Comment cela se fait-il? — Il est, en ce moment, dans un état de désespoir qui a compromis sa santé au point qu'on n'ose pas lui annoncer la nouvelle qui pourrait lui être fatale. — Ce désespoir est-il causé par la maladie de son père? — Non, il ne savait pas que*

1. Lettre CIX à Antoine Bibesco.

son père fût malade, mais Monsieur Gallé a perdu, il y a un mois, la personne qu'il admirait le plus au monde, la princesse Bibesco, et depuis ce jour-là, il est dans un abattement tel qu'on a dû l'isoler, lui interdire toute occupation, et, Monsieur, nous le comprenons tous, c'était une femme si bonne, etc. »

Et cet employé ne se doutait pas que je te connaissais, et cela, c'est cent fois que je l'ai entendu dire.

Mon petit Antoine, je ne te dis que des choses qui peuvent te faire de la peine. Maintenant, c'est fini, je ne t'écrirai plus et quand je te verrai, je ne te parlerai que de choses et autres. Si tu ne te sens pas la force de me lire, tu ne me liras pas, et de m'écouter, tu me quitteras. Mais cette complicité avec ta douleur serait trop coupable, et je ne me la permettrais plus, ta mère blâmerait sévèrement l'ami criminel qui entretiendrait, je ne dis pas à plaisir mais par faiblesse et désolation, les larmes de son fils. Je suis sûr, si je te voyais, que nous trouverions dans des occupations sérieuses un compromis entre des consolations que tu repousserais et des distractions qui n'en seraient pas pour toi et une douleur où tu ne dois tout de même pas t'abîmer, quand cela ne serait que pour garder la force et l'intégrité et la pureté du souvenir, de la vision que les larmes finiraient par troubler et obscurcir.

Aussi ce mariage[1] tombe-t-il insupportablement, mais avant même que je le sache d'une façon certaine, je t'avais dit que ma proposition ne s'appliquerait qu'à fin février,

1. Un mariage devait avoir lieu à cette date dans la famille de Marcel Proust.

mars, avril et aussi tard que tu voudrais. C'est sur cela que je voudrais bien une réponse, quitte à savoir tout de suite, si la chose se trouve rompue. Quant à rester tout l'hiver à Paris, je ne le pourrais pas, ni physiquement, ni moralement. Mais cependant, si tu reviens en janvier, ou à quelque époque que tu reviennes, je retarderai mon départ pour rester près de toi un peu, si tu crois que tu voudrais bien me voir un peu et que le chagrin que j'ai de ton malheur te rendra plus supportable de ma part la réinitiation à l'intérêt de la vie, aux formes diverses de la vie de l'esprit et des modes de l'activité...

Du reste, j'ai dîné plusieurs fois chez tes cousines [1] qui sont bien gentilles, mais tu es la seule personne que j'aimerais vraiment voir en ce moment, et je t'embrasse comme je t'aime, de tout mon cœur.

MARCEL PROUST.

Une troisième lettre précise le plan du voyage et l'emploi du temps pendant le séjour prolongé que Marcel Proust compte faire en Roumanie :

Mon petit Antoine,

Tu es si « intelligent » — (comme tu dirais) que ta lettre se trouve être point par point une réponse à la mienne — que tu n'avais pas encore reçue. Sublime. Pardonne-moi de t'ennuyer de mes propositions, mais en voici encore une.

1. Anna de Noailles et Hélène de Chimay.

Tu m'apprends que tu ne vas pas en Égypte. Or, précisément, comme je te l'écrivais, le mariage de mon frère est avancé d'un mois et aura lieu le 2 février. Alors si cela t'allait de rester encore en Roumanie et si c'est la solitude seule qui t'en chasse, je pourrais (après avoir pris quelques jours de repos au lit comme ce mariage m'éreintera) partir pour ce Stréhaïa que tu dis impratique et dont l'amical inconfort me ravira, vers le 10 février, y arriver, en m'étant reposé deux fois en route vers le 14 février et y rester jusqu'en avril auprès de toi, discret et ne te gênant pas, mais « sous la main » quand tu auras envie de causer et de voir un « representative man » de tous les gens que tu connais, quelqu'un dont la vue te rappelle l'existence de B... et avec qui tu puisses parler d'H... Ce rôle modeste mais gentil me conviendrait infiniment, j'emporterais assez à travailler pour ne pas être du tout « à charge » et avoir d'autant plus d'expansion dans les moments heureux où je te verrais. Et nous mènerions la vie exemplaire de la famille laborieuse dont parle Xénophon, ou de Diderot et de ses amis au Grandval. Je ne te l'ai pas proposé, dans ma dernière lettre où je savais pourtant que le mariage était avancé, parce que je croyais que tu partais pour l'Égypte. Mais du moment que tu n'y vas pas, peut-être cela t'irait. Peut-être tu préférerais dans ce cas que je vienne en Égypte. Mais cela, c'est une très grosse affaire. Je le ferais cependant si tu le voulais. Mais il faudrait d'abord me reposer à Stréhaïa et j'ai peur d'être un compagnon très incommode pour un voyage aussi fatigant. En tout cas je voudrais bien quinze jours de Stréhaïa avant de reprendre des forces. Si au lieu de Stréhaïa tu préférais que je passe avec toi le mois de février (à partir du 15) et mars dans un autre endroit, par exemple à Raguse si tu l'aimes, il va sans dire que c'est accordé d'avance puisque Stréhaïa n'est pour moi que l'endroit où tu te trouves et que naturellement je ne le préfère pas en soi[1]...

Dans une nouvelle lettre, Marcel Proust insiste pour que ses deux amis Antoine et Bertrand se réunissent à Constantinople avant le temps où lui-même pourra se rendre à Corcova :

... Mais je ne sais pas trop si je devais aller dans un endroit où est Bertrand, et où tu serais, combien j'aurais de regrets de l'y manquer ou de t'y manquer de quelques jours pour ne pas être un peu inquiet à la pensée que toi et lui (car il sera aussi heureux que toi) pourraient laisser échapper des heures aussi fécondes pour votre amitié qui, de la nouveauté même du décor, prendra comme une sorte de rajeunissement, et de l'éloignement des autres êtres que vous aimez comme une sorte de concentration plus exquise[2].

J'espère que tu me dis par humoristique gentillesse et aimable insistance : « je ne vais pas à Constantinople si tu n'y vas pas ». Car j'en mourrais de chagrin (exagéré, mais le fond est vrai). Va à Constantinople. J'irai volon-

1. Lettre CXIX à Antoine Bibesco.
2. Lettre CXXI au même.

tiers, mais je te répète que pour t'y voir cinq jours et ne plus te voir je préfère t'attendre à Paris, t'y voir un peu longuement, et partir ensuite (Constantinople ou ailleurs, plutôt ailleurs) t'ayant bien vu. A moins (comme je te le disais) que tu ne restes d'abord longtemps en Roumanie, où je pourrais te voir comme à Paris, trois semaines par exemple, et de là, nous irions à Constantinople. Je veux surtout que tu fasses ce que tu ferais si je n'existais pas (hypothèse dans laquelle tu serais bien plus tranquille et plus heureux. Pourquoi faut-il que tu m'aies connu?) et à ton retour je te verrai si cela ne t'ennuie pas. Pas énormément parce que je travaille tant et dors tant, etc., etc... (je suis très mal en ce moment) mais enfin un peu tous les jours où tu seras libre. Mais sans plus rien de la tyrannique avidité d'autrefois [1].

. . . .

Dans ce cas-là, je prendrai mon mal, mon mal de nostalgie d'Antoine en patience, et attendrai au 1er mars la douloureuse joie de te revoir. Si je voyais d'ici le moyen de disposer de dix jours, j'irais passer huit jours (plus l'aller et le retour) à côté de Corcova, à Stréhaïa, je suppose [2].

Ainsi dans mon Comarnic, j'étais sans le savoir à l'embranchement de cette ligne idéale sur laquelle se trouvaient les anciennes stations Bibesco, de Corcova, de Stréhaïa, cette « ligne des souvenirs perpé-

1. Lettre CXXII à Antoine Bibesco.
2. Lettre CXXIII, au même.

tuellement fréquentée et utilisée[1] », que Marcel Proust prenait pour rejoindre ses amis.

Finalement, il n'alla jamais en Roumanie autrement qu'en idée. Antoine avait dû lui représenter ce qu'était le bourg de Stréhaïa que Marcel Proust s'imaginait naïvement sur le modèle des petites villes de France, possédant un gentil hôtel et d'excellente cuisine. Quant à Corcova, le pauvre ami des fleurs qui ne les pouvait souffrir, s'y fût trouvé au centre d'innombrables vergers : « Mars, avril, mai, juin si tu veux et s'il n'y a pas de fleurs... »

Je pense à toutes celles qui naissent dans les sous-bois de Corcova, dès l'avant-printemps, à ces précoces qu'Emmanuel m'envoyait chaque année, pressées dans ses lettres, pour m'apprendre le printemps, « bonnes feuilles » des scilles, des violettes, des perce-neige, des hépatites, des jacinthes sauvages, apparues bien avant leurs pareilles de ma plus froide région. En apprenant que toutes ces fleurs cruelles à son asthme allaient naître, et qu'elles lui défendraient l'entrée de Corcova, Marcel Proust imagina cette ballade de la déception amicale :

Pour l'Album de Mélancolie :

NOUVEAUX LIEDS DE MACÉDOINE

Lise dit au vieux moine :
— J'aime bien Antoine, j'aime bien Antoine,

1. *Le Temps retrouvé*, t. I.

Lise dit au vieux moine,
Ses poiriers sont en fleurs.

Lise est tout en pleurs
— J'aime bien Antoine, j'aime bien Antoine,
Lisette est tout en pleurs
A cause du vieux moine.

Prends, dit-elle, je meurs!
— J'aime bien Antoine, j'aime bien Antoine,
Tous mes bijoux, vieux moine,
Rubis et calcédoine,
Diamants tout en pleurs
Et saphirs tout en fleurs.

Prends ta faulx de sadoine,
— J'aime bien Antoine, j'aime bien Antoine,
Et va faner là-bas, dans la rosée en pleurs,
Le clair de lune exquis des jacinthes en fleurs.
Prends, dit-elle, et j'en meurs.
— J'aime bien Antoine, j'aime bien Antoine.

Il sera roi de Macédoine
Et chassera jésuite et moine,
Et la carmélite en pleurs,
Et soigne en attendant ses beaux poiriers en fleurs.

Les jeux floraux de Marcel Proust se divisent en trois grands thèmes poétiques qu'on retrouvera dans toute son œuvre : le thème des aubépines, celui des pommiers et des poiriers en fleurs. Si les aubépines appartiennent au cycle de l'enfance ou de Combray, et les pommiers au cycle normand, j'ai découvert, à la lumière des lettres, que les beaux poiriers en fleurs sont du cycle de Corcova. Leurs étoiles amères et d'un blanc si particulier serviront de témoins à la rupture de Saint-Loup et de Rachel. Elles se mêleront à la mort d'un amour qui leur empruntera ce je ne sais quoi de plus triste, de singulier dans la douleur, qui accompagne les convois de ceux qui meurent et qu'on enterre au printemps.

Le rite oriental qui place en cette saison le jour des Morts ajoute quelque chose à la désolation ordinaire des créatures devant leur fin, et c'est peut-être l'idée qu'elles se font des recommencements de la terre. La ballade pour l'Album de Mélancolie me remonte à la mémoire, je revois les poiriers blancs si je lis dans *Le Temps retrouvé* le passage de la guerre et de la nuit qui se termine par la chute, boulevard Haussmann, de leur neige inattendue :

Et même d'autres éléments de nature qui n'existaient pas jusque-là à Paris, faisaient croire qu'on venait, descendant du train, d'arriver pour les vacances en pleine campagne, par exemple le contraste de lumière et d'ombre qu'on avait à côté de soi par terre les soirs de clair de lune. Celui-ci donnait de ces effets que les villes ne connaissent pas même en plein hiver : ses rayons s'étalaient sur la neige qu'aucun travailleur ne déblayait plus, boulevard Haussmann, comme ils eussent fait sur un glacier des Alpes, les silhouettes des arbres se reflétaient nettes et pures sur cette neige d'or bleuté avec la délicatesse qu'elles ont dans certaines peintures japonaises ou dans certains fonds de Raphaël : elles étaient allongées à terre au pied de l'arbre lui-même comme on les voit souvent dans la nature au soleil couchant quand celui-ci inonde et rend réfléchissantes les prairies où les arbres s'élèvent à intervalles réguliers. Mais par un raffinement d'une délicatesse délicieuse, la prairie sur laquelle se développaient ces ombres d'arbres légers comme des âmes, était une prairie paradisiaque, non pas verte, mais d'un blanc si éclatant, à cause du clair de lune qui rayonnait sur la neige de jade, qu'on aurait dit que cette prairie était tissée seulement avec des pétales de poiriers en fleurs [1].

Que Marcel Proust jette soudain sous les pas de son promeneur nocturne « ces blancs bouquets d'étoiles parfumées » paraîtra moins surprenant à qui lira cette lettre où l'on voit que le nom de Corcova, les associations d'idées et les résonances sentimentales qui s'y attachent, sont brutalement rappelés à la conscience de Marcel Proust, en décembre 1916, par la nouvelle de l'invasion de la Roumanie. La région de Stréhaïa, le district de Mehedintzi sont parmi les premiers tombés au pouvoir de l'ennemi. De lourds soldats piétinent la terre des vergers que l'imagination de Marcel Proust a si souvent hantés :

De chers noms comme celui de Corcova m'étaient aussi familiers et doux que Senlis et mille fois plus cher que Bonnelles, écrit-il à Antoine, en janvier 1917, *et je tremblais toujours de les voir dans un communiqué et je*

1. *Le Temps retrouvé*, t. I. p. 62 et 63.

m'accusais d'en mal connaître d'autres que vous devez aimer qui sont peut-être consacrés par des souvenirs d'elle ou de toi, d'Emmanuel, de la princesse Bibesco...

Comme je vous ai bien présents à mon cœur en ce moment.

. . . .

Je n'ai pas écrit à Emmanuel ni à toi parce qu'ayant la vue trop malade. D'ailleurs, tu n'aurais pas eu l'idée de m'écrire au moment de la marche sur Paris, et c'est la même chose; cher Antoine, tu me rendras cette justice que, d'ailleurs, la plus simple délicatesse de cœur m'y obligeait; je ne t'ai jamais dit comme les gens qui croyaient sans doute que c'était comme d'aller à Trouville : « Eh bien! quand marcherez-vous? » Je t'ai toujours dit comme je comprenais l'abstention et même depuis les événements russes qu'elle me semblait seule possible. Depuis que je ne t'ai vu, j'ai eu souvent l'occasion de parler de cela et je crois que tout ce que je t'ai dit t'aurait semblé sage, dicté non seulement par la peur qu'il soit attenté à une chose qui vous est précieuse, ce qui était affectueux est encore égoïste, mais par des raisons plus objectives trop longues et difficiles à écrire ici.

Cher Antoine, je t'ai toujours considéré comme le plus intelligent des Français. Je te prie de me croire maintenant un peu Roumain et pas dans les plus bêtes, n'est-ce pas?

Tout à toi.

MARCEL PROUST [1].

1. Lettre CLVIII à Antoine Bibesco.

Ce n'était pas la première fois que l'ami de mes cousins tremblait pour leur terre lointaine. En faisant une de ces brusques incursions dans le temps, exercice de marche arrière auquel la lecture de Marcel Proust nous a habitués, je reviens sur un espace de neuf années et retrouve les « chers noms aussi familiers et doux que Senlis » dans une lettre qui fut inspirée à Marcel Proust par la crainte des révoltes de paysans, commencement de jacquerie, que les journaux signalaient en Roumanie, au mois de mars 1907. L'événement devait entraîner l'incendie et la perte du premier Corcova.

La lettre est adressée à Emmanuel qui habite alors constamment la campagne tandis qu'Antoine, diplomate de carrière comme son ami Fénelon, séjourne au loin.

Cher ami,

Je sais que les Parisiens ignorent généralement les méfaits d'apaches ou les cas de rougeole qui à distance donnent aux étrangers l'idée que Paris est inhabitable. De sorte que même à supposer qu'il soit vrai qu'il y ait eu des essais de grève en Roumanie (ce que d'ailleurs les journaux démentent et affirment tour à tour) et ce qui doit être moins important que la grève des boulangers que nous lisons dans le journal et à quoi nous ne pensons pas, j'espère que vous vous en êtes moins aperçu que ceux qui lisent le journal. Et du reste, j'ai vu que les districts contaminés n'avaient rien

*de commun avec Stréhaïa, Corcova, Mehedintzi. Malgré
tout, cher ami, un mot de vous me disant que cela n'a pas
troublé vos vacances me ferait grand plaisir. Car vous
savez que vous êtes d'une façon très constante à l'horizon
de ma pensée, but perpétuel de mes très affectueux regards
et je n'aimerais point penser que votre pays pût devenir
révolutionnaire, car dans ce cas, je voudrais vous voir quitter
ce sol troublé et venir à tout jamais sur le nôtre, qui l'est, il
est vrai, plus encore. Allons tous vivre à l'hôtel...* [1].

. . . .

Ainsi la survie, but avoué ou secret, mais toujours
constant de l'effort humain, est assurée à cette maison
de Corcova, deux fois ruinée, par la révolte et par la
guerre, grâce aux rêveries solitaires d'un homme qui
ne l'habita jamais qu'en idée. Les lecteurs de Victor
Hugo savent que le mot Corcova était déjà impéris-
sable puisqu'il figure dans la *Légende des siècles* [2];
mais Stréhaïa et les vergers de Mehedintzi devront à
Marcel Proust seul d'être sauvés de l'oubli, confiés
à la mémoire de ceux qui liront sa correspondance,
et les beaux poiriers, même morts, refleuriront et
continueront à faire, boulevard Haussmann, par une
nuit de guerre et de lune, une litière paradisiaque à
l'ange du souvenir.

1. Lettre XXXIV à Emmanuel Bibesco.
2.   *Sait-on ce que là-bas le vieux mont Corcova
              Regarde par-dessus l'épaule des collines*
                    (Le Petit roi de Galice).
                    VICTOR HUGO

Revenons d'arrière en avant, et d'avant en arrière, comme le « perpendicule » du conte. On sait que pour Marcel Proust, un voyage manqué, comme son premier voyage de Venise, comme celui qu'il devait faire à Florence, dépassait en réalité spirituelle, en richesse d'émotion, les voyages qu'il réussissait à faire. Quand sa puissance de rêve se fut ébranlée sur le nom de ma vallée, quand il imagina la pièce de vers destinée « à amener et à sertir le fabuleux Comarnic » dont Emmanuel l'avait « bercé » ce soir-là, il s'était senti glisser au chant des rails « sur la ligne des souvenirs » et l'incantation ayant réussi, quand il m'écrivit, je n'étais plus seulement pour lui la femme inconnue, au regard de jeune fille, qu'il avait vue salle Pleyel et à l'Opéra, mais aussi l'habitante de la région enchantée où, armé de sa « faulx de sadoine », il fanerait là-bas, dans la rosée en pleurs, « le clair de lune exquis des jacinthes en fleurs ».

C'est à ce titre qu'il m'avait écrit cette étrange lettre, pleine de familiarité, et qu'il avait (je parle au philosophe) osé le conseil — qu'il s'appliquait à lui-même, — de brûler en soi tout ce qui n'était pas de soi :

Mes mains fidèles ne manquèrent pas de fleurs pour honorer l'anniversaire du voyage que je n'avais pas fait [1].

1. *Chroniques*, « Vacances de Pâques ».

Cette lettre révélatrice m'apprit qu'il écrivait, ce que j'ignorais encore, et qu'il lisait dans les âmes, ce qui m'effraya. Une phrase, entre toutes, me donnait un sentiment de malaise, comme si mon secret, une fois dérobé, j'allais cesser de pouvoir l'employer pour ma défense : « cette gaîté enfantine qui doit seule vous aider à porter le poids de votre pensée perpétuelle... »

C'est ainsi que Marcel Proust définissait l'instinct qui me faisait aller au bal, qui m'y fit tournoyer, et le fuir, et préférer la danse à sa conversation pendant toute une nuit. Peut-être avait-il oublié ce qu'il m'avait écrit, et ma conduite, sans cette explication, l'avait-elle froissé au point de m'aliéner sa sympathie, jusqu'au jour où le malheur me la rendit tout entière. Je n'avais pas voulu de ce témoin gênant, de cet intrus qui me rappelait, au milieu de la fête, qu'il me fallait mourir à tout cela, puisque j'avais une autre vie.

Grâce à la stricte discipline que j'observais, j'avais réussi à mener de front pendant mes séjours à Paris, qui devenaient plus fréquents et plus longs, mon existence mondaine et l'autre. La double vie du duc de Portland était la mienne. A force de ne jamais faire d'allusion à ce que j'avais écrit, à ce que j'écrirai, j'avais réussi à créer le doute, puis l'oubli, dans une société où l'on ne demande qu'à ne se point charger la mémoire, les alliances et les adresses suffisant à l'exercer. Secondée par une disposition naturelle qui me portait à aimer les robes, ma futilité n'était mise en doute par personne dans un monde où l'on sait ce que le goût de s'habiller exige de temps. J'avais jugé de ma réussite le soir où l'un de mes danseurs m'avait dit :

— Ma mère m'assure avoir entendu de Mme de Fitz-James que vous écriviez des romans. Mais ce n'est pas croyable, d'une femme habillée comme vous l'êtes !

Une autre fois, j'eus le plaisir délicat d'être prise pour confidente par une douairière qui ne pouvait souffrir que des jeunes femmes de sa société et, qui pire est, de sa famille, se mêlassent d'écrire. Elle attribuait à la littérature un scandale récent, qui n'avait aucun rapport avec les lettres, puisqu'un enfant, et non un livre, en était né. Cette dame me dit :

— Quand on veut me présenter une jeune femme maintenant, je commence par demander : « Sait-elle lire et écrire ? » Et si l'on me répond : « Oui », je ne veux pas la connaître !

Il était de toute évidence que mon jeu ne pourrait durer. Mais comme je ne demandais en somme à la vie que de la comprendre, je n'y pouvais rien perdre. Les barrières que j'avais établies entre mon personnage mondain et l'autre tinrent bon assez longtemps pour me permettre les plaisirs de mon âge. Je travaillais à la Bibliothèque Nationale, chaque matin sur les traductions du *Livre des Rois* de Firdousi, sur l'*Iskender-Nameh*, abattant une forêt pour faire une petite boîte : mon *Alexandre-le-Grand*, importé d'Asie, mais ajusté en France. Dans l'ardeur du travail, j'oubliais l'heure. Aussi déjeunais-je souvent à la buvette de la rue de Richelieu, pour ne pas quitter mon héros. Une fois remis en place, il n'était pas facile de redemander les gros livres qui m'aidaient à le susciter. Je m'asseyais à la table commune qui réunissait quelques vieux prêtres, des étudiants aux yeux usés qui ne regardaient que leur assiette ou leur journal, et je retournais comme l'un d'eux, à mes études, aussitôt le repas fini. Au soir de cette journée, je dînais dans le « monde-monde », j'allais au bal et à l'Opéra, où l'habitude, pour les femmes, est d'être regardées. Personne de ceux qui me voyaient le soir ne connaissait l'emploi de ma matinée. Il me suffisait d'aimer assez mon amour pour n'en point parler. J'avais compris tôt que le métier d'écrire, tel que je l'entendais, ne pouvait être jugé favorablement dans le milieu auquel j'appartenais. Mais au contraire de ce que veulent croire ceux qui en médisent, ce monde étant justement celui où l'on s'amuse, puisque le plaisir est son unique occupation et que naturellement, il y excelle, je trouvais indispensable, entre dix-huit et vingt et un ans, d'y aller et de m'amuser encore un peu. Cette « enfantine gaîté » dont Marcel Proust avait découvert le secret, m'aidait seule à supporter la contrainte de ma double vie.

Quand je fus sur le point de publier mon second livre, l'un de mes oncles s'informa du prix que me coûterait l'édition. Apprenant que mon ouvrage n'était pas à compte d'auteur, mais bien au contraire, qu'il allait m'être payé, son indignation éclata. J'essayai vainement de lui expliquer que, ne point recevoir d'argent de l'éditeur, c'était gâter le métier, pour les autres ; que c'était aussi renoncer à ma seule chance de savoir jamais la vérité sur ce que j'écrivais, placée comme je l'étais, et pareille à mes propres yeux au singe Consul qu'on voyait alors à l'Olympia se faire applaudir parce qu'il dînait en habit et se servait d'une fourchette, tandis qu'un homme, à sa place, n'eût point été applaudi du tout ; qu'étant femme, et pas Française, je serais flattée de la même manière que le singe, toute ma vie. Mais mon oncle, aveuglé par ses préjugés, refusait obstinément de comprendre que si j'avais amené un éditeur, marchand de son encre, à risquer de l'argent sur mon ouvrage, j'avais reçu le seul compliment qui valût pour moi.

J'étais encore tellement ignorante de la chose littéraire que je ne comptais pas sur la critique. Elle se manifesta à moi sous une forme familiale, magnifique et redoutable, qui fit sauter d'un coup toutes mes cloisons étanches : Robert de Montesquiou me consacra le Premier-Paris du *Figaro* [1].

1. Le comte Robert de Montesquiou-Fezensac nous faisait l'amitié de se déclarer notre parent, ses cousins germains étant les nôtres.

Il sera peut-être utile, pour mieux suivre la courbe des sentiments de Marcel Proust et des miens, de citer une partie de cet article, ce dont je m'excuse ici.

LE LIVRE EFFEUILLÉ [1]

C'était au cours d'une réception... à l'ambassade japonaise... Parmi les meubles en coquille d'œuf, de ce décor fantaisiste et charmant, une jeune femme m'apparut, digne de ce cadre exceptionnel, par la rareté de sa présentation, le prestige de son atour et la suréminence de sa grâce. Elle portait une robe de satin rose, du rose d'une rose dont, seule, elle pourrait nous dire le nom, car elle le connaît sans nul doute. Et, le long des fluides plis de cette étoffe, qui semblait teinte avec le sang d'une fleur, coulaient, couraient, roulaient, croulaient de lourds cabochons d'émeraude, versant, sur toute l'ardeur de la roseraie, toute la fraîcheur des feuillages.

*

Je viens de lire un fort joli livre. Vous pensez bien qu'il est écrit par une femme. Ce n'est pas que les femmes

---

1. Cet article a été reproduit dans le volume du comte Robert de Montesquiou, intitulé : *Têtes d'Expression*, avec cette notice :

« Une vingtaine d'essais. Le premier, consacré aux ravissantes pages de la princesse Bibesco, sur la Perse, je l'intitule : *Le Livre effeuillé* pour insinuer que cet ouvrage s'effeuille comme une fleur, que ce calice peut se feuilleter comme un volume. Depuis, les inédits de Moréas ont paru. Leurs plus séduisants passages me semblent être inspirés par *Les Huit Paradis*, et par leur auteur, sous cette désignation : *Les Roses*, avec ces trois belles strophes qui les couronnent elles-mêmes, comme les trois miennes, de semblable mètre, s'essayaient à ceindre la moissonneuse. « Oui, n'est-ce pas que la sévère architecture de la Rose commande la discipline? » s'écrie le poète des *Stances*. Belle parole que doit admirer Barrès. Noble éloge pour celui qui l'a proféré, comme pour celle qui l'a reçu.

écrivent toutes de jolis livres, mais elles écrivent toutes à ce point que la confusion semble les menacer, par une raison que je vais dire et qui rend, pour elles, le *distinguo* sans doute plus nécessaire.

En effet, pour ce qui est des auteurs, il y a les bons et les mauvais, nul n'en ignore, et pas même, je crois bien, eux-mêmes.

Quant aux auteuresses, c'est différent : depuis qu'elles se sont mises à tapisser de l'encre, comme un mot d'ordre a été donné qui me paraît coupable, en tout cas assez déplaisant pour celles qui ont fait leurs preuves. Où la galanterie va-t-elle se nicher, quand elle concourt à ridiculiser Philaminthe en lui permettant de se comparer à Mᵐᵉ Valmore ?

Cette galanterie-là me paraît assez peu charitable, pour ne pas dire terriblement vengeresse. Il en résulte que de « pauvres insensées presque attendrissantes », comme Banville l'écrit de Bélise, continuent d'enfourcher leur Pégase de bois, dont la crinière d'étoupe, les yeux de verre et les ailes de carton sèment la risée, où elles croient bien récolter l'applaudissement et la louange.

La voyageuse (car il s'agit d'un récit de voyage) s'en est allée visiter Ispahan et Constantinople. En route, elle a passé par d'autres villes, qu'elle nous décrit avec vérité, je veux le croire, et je le sais, avec beauté.

Ces villes persanes, elle nous le dit elle-même, sont faites de jardins communiquants, desquels la force et la grâce sont d'être toujours prêts à se renouveler d'une floraison qui s'étage et se gradue, avec sagesse comme avec savoir.

. . . .

Les personnelles réflexions de la narratrice suffisent à rendre une telle lecture attrayante, jugez-en plutôt. Je dois me borner : mais l'échantillonnage suffira pour renseigner ceux que ne déçoivent pas les fausses marques.

. . . .

...Pour montrer comme sait écrire une dame du monde, qui ne se moque pas du monde, je cite encore, sur Constantinople, cette phrase dont on peut, ce me semble et sans mentir, affirmer que Flaubert l'eût goûtée : « Les capitales aux beaux fleuves, dont j'aimais la majesté, s'amoindrissent dans mon souvenir, quand je vois celle-ci, où deux mers sont entrées, celle-ci, l'arène aux gradins immenses, le cirque où les vagues qui baignent l'Asie rencontrent les houles de la Propontide et vont les unes contre les autres, cavaleries aux crinières d'argent et phalanges d'azur entrechoquées dans la lumière. »

. . . .

Et cette belle cinquième partie s'achève sur ce mot, qui, parlant de la Perse, résume si bien ce que voulut signifier mon titre de *Parcours du rêve au souvenir :* « Elle a repris ce soir la forme de notre désir. »

Et ce mot de la fin, touchant et poignant : « Hier encore je me disais : des jours si nombreux séparent ma jeunesse de la destruction que je pense user à les vivre mon désir de ne pas mourir. »

. . . .

Mais me voilà si occupé à vous en parler, de ce bouquin savoureux, que je crois bien ressembler à ce personnage de Musset qui, traitant d'un volume, dit à son interlocuteur : « Je ne sais pas comment cela s'appelait, ni de qui c'était, l'avez-vous lu ? » — Et je ne doute pas que, pareil à cet interlocuteur avisé, vous ne répondiez de même affirmativement. Ce qui ne m'empêche pas de tenir au plaisir d'écrire ici que l'auteur se nomme la princesse Bibesco et que son œuvre s'appelle : *Les Huit Paradis.*

Mais peut-être, me direz-vous, comme les enfants qui n'aiment pas que rien reste inachevé dans les belles histoires : « Qu'est devenue la précieuse dame du début, la poétique apparition de l'Ambassade japonaise ? »

Et parce que je suis un véridique rapporteur, et que je voulais pour vous, pour lui, pour moi, un beau dénouement à mon récit, je vous dirai qu'il et *elle* ne font qu'un, l'auteur du *Livre effeuillé* et la dame à la robe fleurie.

Et pour le lui prouver à elle-même, je termine ces

pages que me suggère son esprit, par ces quatrains que m'inspire sa toilette :

Vous portiez, sur la robe en satin d'un vieux rose,
Des émeraudes dont Shakespeare a dit l'attrait,
Et c'était beau de voir sur vous, étrange chose!
Ces gouttes d'océan, d'espoir et de forêt.

A ce spectacle, un peu s'apaisait la souffrance,
Et l'on sentait rouler, sur l'antique chagrin,
Ces gouttes de forêt, de mer et d'espérance,
Que vous aviez pour nous, fait jaillir de l'écrin.

Continuez, Madame, à répandre en la fête
Où nous allons puiser notre plaisir amer,
Et quel que soit le ton, sombre ou clair, qui vous vête,
Ces gouttes de forêt, d'espérance et de mer [1]!

Ainsi une seule et même personne portait la robe, les bijoux et le livre! C'en était fait de ma pauvre ruse, de ma défense si bien établie, du double personnage que je jouais. On peut être vaincu par les autres, mais on n'est jamais trahi que par les siens. Robert de Montesquiou, en marge lui-même de ces deux modes d'existence inconciliables, la vie mondaine et la vie de l'esprit, m'avait dénoncée. « Nous n'irons plus au bois, les lauriers sont coupés. » J'avais désiré ne ramasser que plus tard cette parure qui sied aux mortes. Désormais, il me fallut souffrir les regards distants de la vieille dame qui ne voulait point connaître « celles qui savent lire et écrire »; il me fallut entendre mes danseurs intimidés, et

1. *Le Livre effeuillé*, in *Têtes d'Expression*, p. 19 à 35.

voulant paraître « avoir lu », se tromper sur le nombre des Paradis : « Il paraît que vous avez écrit un livre " épatant " : Les sept Paradis, ou les six, ou les neuf... » Comme les joueurs poursuivis par la malchance, ils ne retournaient jamais le *huit*, qui était la bonne carte. Il fallut établir des statistiques pour marquer le chiffre, vraiment élevé, des vieillards courtois, mes voisins de table qui ne se pouvaient asseoir auprès de moi sans murmurer poliment : « Me voilà à côté du neuvième Paradis. » Ma vie, à Paris était toute changée.

Dans son *Hommage à Marcel Proust*, Paul Valéry donne une exacte définition de cette Bourse des valeurs qui s'appelle « Le Monde » :

Ce qui en soi-même, se nomme « le Monde », n'est composé que de personnages symboliques. Nul n'y figure qu'au titre de quelque abstraction. Il faut bien que tous les pouvoirs se rencontrent; que *l'argent* quelque part cause avec la *beauté*, que la *politique* s'apprivoise avec *l'élégance;* que les *lettres* et la *naissance* se conviennent et se donnent le thé. Sitôt qu'une puissance nouvelle s'est fait reconnaître, il ne se passe pas un temps infini que ses représentants n'apparaissent dans les réunions du « monde ». Et le mouvement de l'histoire se résume assez bien dans l'accession successive des espèces sociales aux salons, aux chasses, aux mariages, aux funérailles de la tribu suprême d'une nation. Toutes ces abstractions dont je parlais ayant pour suppôts des individus qui sont ce qu'ils sont, il en résulte des contradictions et des complications qui ne s'observent que sur ce petit théâtre. Comme le billet de banque n'est, d'autre part, qu'une feuille de papier, ainsi le personnage du « monde » compose une sorte de valeur fiduciaire avec une substance vivante. Cette combinaison est merveilleusement propre aux desseins d'un subtil auteur de romans [1].

Longtemps avant d'avoir lu ces lignes, j'avais jugé des inconvénients de mon personnage et cherché d'instinct leur palliatif. Appartenir à la « tribu suprême » et ne se point contenter d'y figurer au titre de sa valeur fiduciaire reconnue, s'y présenter avec des pouvoirs nouveaux que chacun peut mettre en doute; obliger les gens à des efforts de mémoire, sinon de jugement; apporter sur le marché plus d'une monnaie d'échange, c'était tricher, tenter les dieux. Pour signaler à la société ce cumul impardonnable, qui donc était mieux qualifié que Robert de Montesquiou?

Ce superbe, qui erra toute sa vie entre le Jockey-Club, d'où il sortait, et la Société des Gens de Lettres où il n'entra jamais complètement, fut un grand damné de ce que le poète appelle : « La lettre sociale écrite avec le feu. »

Après les louanges publiques qu'il m'accorda, j'héritai de lui, sans le vouloir : il avait un prodigieux nombre d'ennemies, que d'ailleurs il s'était données. Il en avait dans des salons à hauteurs de plafond différentes, et qui ne communiquaient pas entre eux. S'il brocardait des duchesses, auteurs de pièces fugi-

1. *Hommage à Marcel Proust*, Paul Valéry.

tives insuffisamment travaillées, il s'attaquait aussi à la plus solide production de Mme Bulteau. Dans ma solitude de Comarnic, j'étais dangereusement ignorante de ces « contradictions » et de ces « complications ». Pendant mes séjours à Paris, je ne demandais qu'à faire deux parts de ma vie, très inégales : l'une, celle du bal, qui serait courte, et l'autre, la meilleure, qui ne me serait pas ôtée. Le choix que Montesquiou fit de moi pour exercer sa bienveillance, amena dans mon économie une espèce de catastrophe. Quand je revins à Paris, j'essayai de mon mieux de relever les ruines de mes cloisons étanches. Je m'évertuais à chasser de l'esprit de ceux avec qui je dansais, l'idée discordante que j'écrivais aussi. Mes propos, exactement appropriés au milieu dans lequel je me trouvais, ne laissaient apercevoir aucune différence entre mes habitudes d'esprit et celles des autres jeunes femmes. Je réussis, pendant un temps, à recréer mon double frivole. J'y étais aidée par la composition purement mondaine des salons où je paraissais. Ainsi, Mme de Fitz-James, qui recevait à déjeuner des gens de lettres, lorsqu'elle donnait un bal pour son neveu, le prince de Ligne, n'y invitait âme qui vive hors de la société des gens qui n'écrivent que des lettres. J'y trouvais mon divertissement. Mais un soir de plus grande dissipation, je me laissai entraîner au bal de *L'Intransigeant*, où la division des genres n'était pas si bien observée. C'est là que Marcel Proust m'apparut, et s'interposa

comme une ombre grandissante entre ma vie vaine
et moi.

*

J'éprouvais du déplaisir à le voir là. Pourquo
avait-il gardé son manteau en entrant dans le bal?
Ainsi vêtu, il jetait un froid, comme un sorcier jette
un sort. Dans une fête, les gens vont, viennent, sont
en mouvement, même ceux qui ne dansent pas;
l'air brûlant, léger, est à la température des épaules
et des bras nus. Que cherchait-il ici, cet homme
étrange qui grelottait intérieurement? Sa vue seule
me donnait le frisson. Le corps pris dans sa pelisse
trop large, il avait l'air d'être venu avec son cer-
cueil. Lui-même ne se trompait pas sur son apparence, comme je l'ai su depuis. Pour m'ôter la crainte
d'exagérer à distance mon impression, je n'ai qu'à
relire une lettre à Antoine où il se montre tel qu'il
s'était vu au miroir, un jour qu'il voulait rejoindre,
chez Larue, Nonelef et mes deux cousins :

*Seulement vous ne ferez pas attention à ma tête, car j'ai
l'air mort...* [1]

Comment ne pas faire attention, dans un bal, à
quelqu'un qui a justement cet air-là? Je ne voyais
que lui. Dansant à l'autre extrémité de la salle, il

1. Lettre LXXXI à Antoine Bibesco.

m'apparaissait dans les intervalles laissés par les couples, avec sa face exsangue et sa barbe noire de Christ arménien au tombeau. Bertrand de Fénelon, qui dansait peu, se mêla pourtant aux danseurs, chargé de me ramener à la place désertée où Marcel Proust n'avait pas cessé de m'attendre. Il désirait causer avec moi; je lui devais bien quelques minutes d'attention, après cette lettre qu'il m'avait écrite au sujet des *Huit Paradis*. Mais c'était justement à cause de sa lettre que je m'éloignais de lui. J'étais ennuyée de son insistance. Venait-il pour me rappeler comme avait fait Montesquiou, qu'*Il* et *Elle*, l'auteur du *Livre effeuillé* et la dame à la robe fleurie, ne faisaient qu'un? Pourquoi ne me laissait-il pas m'égayer un temps, celui qui m'avait écrit :

...et cette enfantine gaîté qui peut seule vous aider à porter le poids de votre pensée perpétuelle...

Par lui, le monde de la conscience faisait irruption dans ce monde de l'inconscience organisée qu'est un bal. Il me parla, mais le bruit de la fête me rendait sourde. Je répondis impatiemment. J'étais le derviche tourneur qu'on empêche de tourner pour le questionner sur la nature de la Divinité. Il me demanda si j'écrivais un second livre. Je lui dis qu'en effet, j'en écrivais un sur le bonheur : Alexandre le Grand en était le héros. Il parut consterné que j'en eusse fait un homme heureux. Il commença de m'exposer longuement quelque chose qui me parut l'éloge de l'échec, de ce qui aurait pu être et n'a pas été, pour autant que la musique et les pieds conjugués des danseurs me permirent de l'entendre. Il ne faisait jamais que de mauvais placements d'argent, me disait-il : il voulait m'expliquer qu'au jeu, l'important, c'est de perdre... Mais oui! moi aussi, j'allais perdre, puisque l'heure avançait sur moi, tandis qu'il me retenait, en me regardant de ses grands yeux tristes.

Perpendicule
Va faire ronron,
Avance et recule,
Brillant escadron,
L'horloge plaintive
Va sonner minuit...

Pourquoi Marcel Proust était-il venu m'attendre dans ce bal, comme dans une gare, en manteau de voyage et le col relevé? Venait-il m'annoncer qu'il était déjà l'heure de partir? « Encore un peu de temps, Monsieur le bourreau », avais-je envie de lui répondre. Je me levai, je fis signe à Bertrand de Fénelon qui m'avait amenée, pour qu'il me ramenât dans la danse.

*

Mon départ, des deuils, autres départs, firent pour moi, de ce bal qui eut lieu en 1912, le dernier bal avant la guerre, vers laquelle nous avancions tous, ignorants et condamnés.

Un an plus tard, je reçus de Marcel Proust une lettre, en réponse à l'envoi que je lui avais fait d'*Alexandre Asiatique* [1]. Manifestement, il n'avait rien oublié de la soirée où j'avais préféré danser que de causer avec lui et il reprenait sa démonstration du bonheur là où il l'avait laissée :

Mercredi.

Princesse,

*Je viens de recevoir avec beaucoup de joie, dans sa reliure de formulaire, d'agenda, de guide ou de memento (et dans le beau sens originel de ces mots déchus n'est-il pas tout cela, et l'*agenda *même puisque vos paroles doivent être « agies ») un petit livre — un grand livre — qui m'a causé ensuite beaucoup d'admiration et de tristesse. Mais la joie était de le recevoir et à un moment où elle était particulièrement bien-venue. J'avais reçu l'avant-veille une invitation pour la soirée de l'*Intransigeant, *où je n'irai pas d'ailleurs, mais la même et dans le même lieu où je vous vis l'année dernière si belle, si éloquente, mais si hostile que je ne pus attribuer qu'aux circonstances imparfaites de la rencontre et aussi à l'interprétation erronée que vous avez pu donner à ce moment à des choses qui ne vous concernaient pas d'ailleurs, mais que vous jugiez cependant, que*

---

1. *Alexandre Asiatique ou l'Histoire du plus grand bonheur possible* avait paru chez Hachette, relié en cuir de couleur bleu sombre.

vous avez trop oubliées depuis pour que je tente même la tâche impossible de vous les remettre en mémoire. J'y avais souvent repensé depuis, souvent enveloppé dans cette ombre qui se projette maintenant même sur vos *Paradis* et la carte annonçant la soirée du Carlton m'avait rendu si exactement mon impression que votre *Alexandre Asiatique* est vraiment venu avec un « visage de soleil ». Malheureusement, le livre lui-même m'a prouvé que notre dissentiment était plus profond et touchait aux idées. Non que je n'aie une grande admiration pour ces paroles qui sont comme des bijoux qui auraient une monture de silence, pour cet art si audacieusement, si habilement réticent que ce que vous dites n'est qu'une petite partie de ce que vous avez pensé et qu'en proférant ce que vous avez tu (et pourtant défini comme une circonférence dont on a mesuré le diamètre et qu'on dédaigne de tracer), un commentateur écrira un plus long ouvrage. Et ce silence est aussi un piédestal et indique la hauteur où on doit se placer pour vous lire ; il est une convenance aussi et permet l'accord de votre pensée moderne ou future avec les images lointaines, et fait fleurir ces profondes sentences comme un pré sur une tapisserie (du vert tapis fleurissant sous l'armée de Keïthoun, etc.) ou le bavardage d'un oiseau. Mais, à moins que le livre ne soit pour conduire où vous finissez (et pourquoi cela ne serait-il pas ?) rien ne m'est plus étranger que de chercher dans la sensation immédiate, à plus forte raison dans la réalisation matérielle, la présence du bonheur. Une sensation, si désintéressée qu'elle soit, un parfum, une clarté, s'ils sont présents sont encore trop en mon pouvoir pour me rendre heureux. C'est quand ils

84

m'en rappellent un autre, quand je les goûte entre le présent et le passé (et non pas dans le passé, impossible à expliquer ici) qu'ils me rendent heureux. Alexandre a raison de dire que cesser d'espérer c'est le désespoir même. Mais si je ne cesse de désirer, je n'espère jamais. Et peut-être aussi la grande sobriété de ma vie sans voyages, sans promenades, sans société, sans lumière, est-elle une circonstance contingente qui entretient chez moi la pérennité du désir. Et quand on ne pense pas à son propre plaisir, on en trouve même à constater les lois en vertu desquelles ce qu'on croyait pouvoir garder nous est ravi, et les cœurs eux-mêmes. Et l'intérêt des lois en vertu desquelles, par contre, nous sont finalement apportées les choses sur lesquelles nous n'aurions jamais cru pouvoir compter, cet intérêt est capable de compenser pour nous la déception de posséder ce qui nous semblait beau quand nous le désirions. Je m'aperçois qu'après vous avoir dit que je ne pensais jamais à moi, je ne vous parle que de moi et d'une joie où pourtant je pense tant à vous. Mais je m'aperçois aussi que c'est en exégète de vous que je parle de moi. Car les derniers mots ne s'accorderaient-ils pas singulièrement avec ceux d'Alexandre : On cesse plus radicalement d'espérer ce qu'on tient que ce qu'on n'aura pas. La mort que vous préconisez ne ressemble-t-elle pas à la vie que je mène, mais à cette dernière il manquera toujours cette grâce délicieuse et véritablement parfaite de vos paroles quand vous dites que l' « histoire de sa vie s'achève sur le discours d'un oiseau ». C'est la perfection même, l'art suprême qui rejette les richesses inutiles et qui, en ce sens-là encore, est omission. Je garderai toujours *près de moi le* Memento *bleu (il semble de cette couleu à la lumière électrique) où il y a tout ce qu'il est important de se rappeler, le* Formulaire *où peut-être je trouverai des remèdes et en tout cas des poisons. Et je tâcherai de mieux comprendre Alexandre et la princesse Bibesco, desquels une part m'échappe.*

Daignez agréer, Princesse, mon admiration et mon respect reconnaissant.

MARCEL PROUST.

La part qui lui échappait de moi était celle que je donnais au mouvement, au délice irréfléchi de vivre. Pendant qu'il entretenait en lui le désir par le renoncement, je me désabusais d'autre manière. Mon héros gagnait toutes les batailles, prenait toutes les villes, ne renonçait à rien, obtenait tout, et mourait à trente-deux ans, complètement désespéré. Seulement il y fallait une belle santé. Marcel Proust m'avouait avoir joué sa vie à qui-perd-gagne, au contraire d'Alexandre, qui, tout en gagnant toujours, avait perdu. Cette lettre extraordinaire me donnait le mot de l'énigme proustienne, longtemps avant la révélation du *Temps retrouvé;* elle situait le bonheur « entre le présent et le passé », et non dans le présent; elle créait cette région intermédiaire, cet espace sentimental nouveau où Marcel Proust a vécu et goûté tous ses plaisirs. Voilà son invention, qui contredit le vieux *Carpe diem* d'Horace;

lui n'a pas joui de l'heure, et c'est ainsi qu'il atteint cette région bienheureuse où il réussissait à entretenir « la pérennité du désir ». Quoi de plus mystique, j'oserais dire de plus chrétien que cette absence devant la présence réelle du bonheur? A qui s'étonnerait que Marcel Proust m'eût livré son profond secret dans une lettre destinée, en apparence, à me remercier pour l'envoi d'un livre, à ceux qui seront surpris qu'il m'eût choisie pour cette confidence, moi qui l'avais fui, qu'il n'avait vue que deux fois seulement, et encore à trois ans d'intervalle, je dirai combien j'en fus étonnée moi-même. Mais la réflexion nous rendra humbles, nous tous à qui Marcel Proust écrivit de si belles lettres. Sa création continue s'accomplissait à travers nous qui l'ignorions : il se parlait à lui-même. Je n'en veux pour preuve que deux lettres dites de politesse, adressées, celles-là, à quelqu'un qu'il ne connaissait pas du tout[1], dont je citerai en leur temps des passages, où il est question de la grande amitié, où ce sujet sacré, la mort de Bertrand de Fénelon, est évoqué pour expliquer toute une politique du cœur. A la vérité, Marcel Proust ne cessa jamais de devenir Marcel Proust. Seul, il savait qu'il était lui. Mais le moment où cette connaissance passa de sa conscience dans la conscience universelle n'étant pas encore venu, toutes ses façons d'agir paraissaient insolites. Une lettre d'obligation était pour

1. Sir Philip Sassoon.

lui ce qu'est l'interrupteur pour le courant électrique :
la force inconnue devenait lumière sensible. Il se
révélait à nous presque malgré lui, et quel que
fût l'interrupteur. Aussi le voit-on tout entier dans
ses lettres. En lisant ce manifeste sur le bonheur
à moi adressé, à propos d'*Alexandre*, je compris que
j'avais blessé l'ami de mes cousins par ce qu'il
nommait mon hostilité, au point qu'il s'en souve-
nait à un an de distance. Évidemment, je ne l'aimais
pas assez, et il s'en était aperçu. D'ailleurs, qui
donc l'aima jamais suffisamment, et comme il sou-
haitait de l'être? Ni Gilberte, ni Albertine, ni Saint-
Loup, (dont le nom apparaît pour la première fois
au cours d'une promenade avec mes cousins), ni
Mme de Guermantes, ni Bertrand, ni Antoine, ni
Emmanuel, ni moi. Au plus fort de la grande amitié,
il se plaignait de Fénelon à Antoine, et probablement d'Antoine à Fénelon. Il est le *mal aimé*. Les
lettres sont nombreuses où il se plaint d'Antoine
à Antoine. Je citerai celle-ci où l'on verra ce qu'il
attendait d'une amitié, ce qu'il n'en a certainement
jamais reçu, et de quelle violence pouvait être sa
déception. Mais puisque de son aveu même la
déception et le renoncement furent les forces géné-
ratrices de son œuvre, ne la devons-nous pas, en
dernier ressort, à ses amitiés insuffisantes?

*... Je voulais te dire que ta (très naturelle d'ailleurs)
nouvelle attitude à mon égard, mystère — ou plutôt absence*

de confidences, de questions, d'union en un mot — a rencontré en moi un être que je n'étais pas avant de te connaître, que tu as fait tel et qui avait pris l'habitude de ne plus vivre pour soi tout seul, d'étendre jusqu'aux limites d'un autre être l'horizon de sa vie et en conséquence de répandre perpétuellement dans ce prolongement indiscernable de son moi ce que sa vie pouvait rouler chaque jour de brillant ou de fangeux, tel quel, avec les spectacles qu'elle avait surpris et reflétés, avec les secrets qu'on lui avait jetés. — Or perdant mon deuxième moi (c'est-à-dire toi) par ta nouvelle attitude, je n'ai pu changer la forme nouvelle que tu avais donnée au premier... [1].

Au cours d'une de leurs absences prolongées, il écrit ce parallèle entre Nonelef et Antoine, tout à la gloire de l'Ocsebib :

Jeudi.

(J'ai reçu ce matin ta lettre datée dimanche; que tout cela met longtemps.)

Mon petit Antoine,

« Merci de tes bonnes lettres », qui était bien gentil, *généreux et même prodigue dans une dépêche à tant de sous le mot est bien plus vrai des tiennes qui me font un extrême plaisir. Il est curieux combien toi et Bertrand (je ne dis plus à propos des lettres, car Bertrand ne m'a pas*

---

1. Lettre LII à Antoine Bibesco.

écrit depuis longtemps; je le dis à propos de rien) vous avez un don contraire : lui d'exciter la méfiance et toi de la dissiper. En sorte que vous pouvez avoir tous deux des ennemis. Mais les tiens seront toujours des gens qui ne te connaissent pas encore et seront ainsi susceptibles de devenir, si tu le souhaites, des amis. Tandis que lui, ses ennemis seront toujours des anciens amis. La parole si vulgaire, si hypocrite et si basse, si je parle ainsi de lui, c'est que je lui dis tout cela à lui-même, redevient ici légitime et acceptable à force d'être vraie. Cela ne m'empêche pas d'aimer tendrement Bertrand. Et au fond rien n'est plus injuste que ces tendresses qui se croient partiales parce qu'elles sont aveugles et qu'elles se bouchent les yeux sur les défauts possibles de l'ami qu'elles chérissent, de peur de l'aimer moins, s'empêchant du même coup de voir ses qualités. J'en ai eu dernièrement la preuve avec M. que j'estimais d'autant moins que je l'aimais plus, toujours persuadé que mon affection n'était que de l'indulgence. Je me rends compte qu'il était infiniment supérieur à ce que ma consciemment partiale et par cela même dépréciante amitié supposait. Et il n'aurait eu qu'à gagner à une amitié clairvoyante, sévère et juste... [1].

Il est jaloux de l'amitié d'Antoine pour Bertrand, que pourtant il partage et ne cesse de favoriser. Tantôt il les réunit chez Larue ou chez Weber, il ne peut se passer de leur compagnie, et tantôt

1. Lettre LXII à Antoine Bibesco.

il les divise, il les oppose l'un à l'autre dans ses lettres :

Tâche si tu viens chez Larue, que ce soit vers onze heures, car ils font de tels courants d'air que nous irons peut-être ailleurs avec toi; tandis que tant que tu ne seras pas là nous t'attendrons. Ne reste qu'une minute si tu veux, mais je t'en supplie, que ce soit la dernière fois que tu me dises : « Je ne resterai qu'une minute, rassure-toi. » C'est une ironie que mes nerfs trop tendus ne peuvent supporter. Je garde ta lettre et la comparerai sous tes yeux à une lettre de Nonelef et je te dirai à ce propos bien des choses que tu ne trouveras peut-être pas bien gentilles, bien qu'elles le soient extrêmement et pas justes, bien qu'elles soient la

vé ——— rité

Pour Chartres si ton impossibilité n'est pas absolue, tâche pendant ces deux jours de la lever, car j'en serais très heureux [1].

Un songe l'empêche de sortir, une ombre suffit à le rendre malheureux. Le voilà qui voulait passer une soirée d'été à Versailles avec ses amis, mais un rêve l'en empêche :

[1]. Lettre CX à Antoine Bibesco.

Il est possible, bien que peu probable, que moi-même j'aille à Versailles.

Mais en tout cas ne vous occupez pas de moi, car je ne sais ni à quelle heure j'irai ni reviendrai et ce serait une stupide complication pour vous, sans compter l'ennui. Du reste, j'ai fait un rêve qui m'a mis dans un état si atroce que je ne sais ce que je pourrai ni ne pourrai pas.

Plains-moi de ce rêve qui m'a fait mal... Peut-être ta pitié ou celle de Nonelef (mais il l'ignore, car je n'ai pas eu l'occasion de lui écrire) viendra-t-elle, même de loin, à une grande distance, « tomber comme une larme à la place précise où le cœur mal fermé l'attendait pour guérir », vers que je cite avec excès depuis quelque temps [1].

Ce qu'il donne aux autres avec tant de libéralité, les compliments, il n'en veut pas pour lui-même. Il préfère être aimé, ce qui est plus difficile que d'être admiré. Témoin une lettre à Emmanuel, qui se termine par cette prière touchante :

... Ne me faites pas de compliments. J'ai beaucoup d'affection pour vous et très peu pour moi. Aussi vous me faites plus de plaisir en me disant : « Vous êtes en hausse », qu'en me disant des choses qui ne pourraient s'adresser qu'à mon amour-propre si j'en avais [2].

1. Lettre LXIII à Antoine Bibesco.
2. Lettre XXXIV à Emmanuel Bibesco.

Dans une lettre à Antoine, je trouve ce reproche qui les atteint tous les trois :

Quand trouverai-je enfin quelqu'un qui agira avec moi comme je commence toujours par agir avec mes amis jusqu'à ce qu'ils m'aient désabusé par trop peu de réciprocité, avec qui je pourrai faire un pacte entier inviolable, bilatéral et beau... [1].

Un autre jour, il termine une lettre à Emmanuel sur cette phrase d'une tristesse enfantine, c'est-à-dire plus triste que tout :

Nuit de mardi à mercredi.

Mon cher Emmanuel,

J'ai des choses importantes à vous dire. Malheureusement, comme je suis sorti ce soir (c'est même ce qui fait que j'ai des choses importantes à vous dire) je serai demain mercredi (aujourd'hui quand vous recevrez ce mot) en pleine crise et ne pouvant recevoir. Voulez-vous cependant, à tout hasard, me téléphoner vers neuf heures et demie du soir. Si je suis en état de parler, je pourrai peut-être vous dire de venir. Si le téléphone est chez le concierge, dites-lui de monter me dire que vous êtes au téléphone si je ne dors

1. Lettre CXXI à Antoine Bibesco.

pas ou ne fume pas [1]. *Mais en tout cas, si votre soirée est prise, cela peut parfaitement se remettre de quelques jours. Je n'ai pas besoin de vous dire que si je dis des choses importantes, j'entends des choses qui vous concernent; je sais hélas! que celles qui me concernent ne sont plus importantes pour personne depuis que j'ai perdu mes parents...* [2].

Les choses qui le concernaient allaient devenir bientôt très importantes pour cette petite partie de l'humanité qui s'occupe de connaître l'autre et soi-même. J'arrive, dans ma lecture, à l'année 1913.

La troisième en date des lettres que m'écrivit Marcel Proust a trait, non plus à un livre de moi, mais à un livre de lui, et c'est la plus courte.

Elle répondait à celle que je venais de lui écrire, après avoir lu : *Du côté de chez Swann.* Le volume à peine paru, Emmanuel s'était hâté de me l'envoyer à Comarnic. Il savait qu'ayant découvert, dans *Le Figaro*, un article intitulé : *Rayons de soleil sur le balcon* (les premières lignes imprimées de Marcel Proust que j'eusse jamais lues) j'en avais été profondément attendrie. Je lui avais alors écrit mon admiration pour Gilberte entrevue. En m'adressant le livre, Emmanuel savait à quel point il me ferait plaisir. Dans toute la nouveauté de mon ravissement, j'écrivis à Marcel Proust, je lui dis que c'était

1. Il appelait « fumer » les fumigations auxquelles il se livrait pour lutter contre son asthme.
2. Lettre XXXIX à Emmanuel Bibesco.

Emmanuel qui m'avait envoyé son ouvrage, pensant qu'il apprécierait cette preuve d'amitié en triptyque. Je me trompais; sa lettre me prouva que je l'avais alarmé; m'ayant lui-même envoyé le volume, il voyait un reproche où je n'avais mis que reconnaissance, affection :

> *Princesse,*
>
> *Votre lettre perce mon cœur qui n'est pas coupable. Vous êtes une des deux ou trois premières personnes à qui j'ai envoyé* Swann. *Je l'ai adressé faubourg Saint-Honoré, à l'adresse que donne le Tout-Paris. Je crois même que si je ne vous connaissais pas, je vous l'aurais envoyé, à cause de l'admiration que j'ai pour vous, ce que je ne fais jamais ou presque jamais. Mais puisque j'ai le bonheur, vous admirant, de vous connaître, d'éprouver la bienveillance de votre jugement, sinon sur moi, du moins sur ce que j'écris, puisque vous m'avez envoyé deux livres merveilleux, comment aurais-je pu résister au désir de vous envoyer* Swann? *Je vous adresserai un autre exemplaire quand vous serez revenue, mais je serais heureux que celui-ci se retrouvât pour que la preuve de ma véracité fût faite.*
>
> *Merci, Princesse, d'abaisser sur mon livre le regard incomparable, et veuillez agréer mon admiration et mon respect.*
>
> MARCEL PROUST.

La preuve de sa véracité fut faite. Quand je revins faubourg Saint-Honoré, six mois plus tard, j'y trouvai parmi les annonces et les imprimés qu'on avait négligé de « faire suivre », l'exemplaire de *Swann*, de l'édition Grasset, avec la dédicace de l'auteur. Les timbres oblitérés portaient une date qui me donnait, dans la hiérarchie amicale, le rang élevé que je ne méritais pas.

A mon tour, j'étais heureuse d'avoir écrit à Marcel Proust une lettre qui n'était point d'obligation, puisque j'ignorais alors qu'il m'eût envoyé son livre. J'avais obéi, en lui écrivant, à la seule impulsion de mon cœur. J'aimais Swann comme on aime sa propre vie, ou plutôt une autre vie qui nous est accordée par surcroît, qui s'ajoute à la nôtre et la multiplie infiniment, grâce à ce don total, à cette rare et miraculeuse opération de l'esprit que l'art réussit quelquefois et l'amour presque jamais.

*

Avant d'entrer dans la crypte qui s'ouvre avec l'année 1914, avant de tendre au premier des quatre amis qui passa sous le porche bas, à Bertrand de Fénelon, cette main qu'il avait prise pour danser, il faut que j'introduise dans le bal celle qui fut, non pas seulement mon double, mais l'ombre plus claire de moi-même : ma sœur Marguerite. C'était son tour d'avoir dix-sept ans, cette année-là. Elle terminait alors son éducation dans un couvent de Belgique où j'allais la chercher tous les ans, pour les vacances de Noël et de Pâques, qu'elle passait avec nous faubourg Saint-Honoré. La maison s'emplissait alors du bruit ravissant de ses rires. Sa gaîté réveillait la mienne. A quinze ans, elle avait attiré l'attention de Bertrand de Fénelon qui me demanda de la revoir au mois d'avril 1914, pendant son dernier congé. Nous allâmes tous les trois visiter le musée Cernuschi, où Bertrand expliqua la peinture chinoise à Marguerite, qui n'en avait jamais vu. Nous fûmes rue Daru, dans le petit appartement de Fénelon, où l'une de ses parentes nous fit les honneurs du goûter. Une jeune fille passait sur le chemin de traverse qui menait Bertrand hors la vie, et par elle s'achevait cette mystérieuse symétrie qui me plaçait, seule vivante entre les enfants de ma mère, donnant la main, aux différents âges de ma vie, d'abord à un frère, et à une sœur morts en bas âge, ensuite à ma sœur aînée, et à ma sœur cadette, toutes deux changées en ombres.

Ce printemps-là, Emmanuel revint d'un voyage au Japon, déjà touché par la même ombre. Jamais les fleurs ne me parurent tomber aussi vite qu'en cet orageux mois de mai. Août, septembre, octobre, novembre 1914! Bertrand de Fénelon, qui avait quitté son poste de Christiania [1] et pris le raccourci héroïque, fut porté « disparu », comme on disait alors, le 17 décembre, l'an I de la guerre. Son por-

---

1. Diplomate que l'ordre de mobilisation n'atteignait pas, le comte Bertrand de Salignac-Fénelon était engagé volontaire.

tefeuille fut retrouvé sans lui; on ne sut ce qu'était devenu le corps terrestre de notre ami.

Le chagrin de Marcel Proust fut immense. Les échos m'en parvinrent, multipliés à travers le chagrin de mes deux cousins. Entre Londres, où Emmanuel, malade, demeurait avec son frère, et Paris, où je venais d'accompagner mon mari, chargé de mission auprès du Gouvernement français, des lettres désolées s'échangèrent. Mes cousins nous rejoignirent pour quelques jours à l'hôtel Meurice où nous étions descendus, l'appartement du faubourg Saint-Honoré était une tombe close en l'absence des domestiques mobilisés.

On m'annonça que Marcel Proust allait nous rejoindre, un soir, pour dîner, mais il ne vint pas. Je n'ai plus souvenir de ce qui empêcha notre réunion, mais je sais que seul Emmanuel le vit, pendant ce séjour, comme si, déjà touché par son invisibilité prochaine, il eût été nécessaire que ce fût lui qui parlât de Bertrand disparu à Marcel.

*

La première lettre que je reçus de Proust, après le 22 août 1917 [1] est perdue. Elle fut égarée par l'égarement d'Antoine, à qui je l'envoyai aussitôt, ne sachant, pour soulager sa peine, qu'y ajouter la

[1]. Date de la mort d'Emmanuel Bibesco.

mienne et celle de leur ami. Mais ma mémoire a conservé intact un passage lumineux de cette lettre : Marcel Proust m'y peignait — toujours comme se parlant à soi-même — une scène de leur commune jeunesse. C'était au commencement de la grande amitié. Après s'être rencontrés tard pour souper chez Larue, et leur conversation s'étant éternisée, les quatre amis n'avaient plus trouvé, pour les ramener chez eux, qu'un seul fiacre, le dernier fiacre, bien connu des noctambules. Ils le prirent d'assaut par les deux marchepieds, et il y eut lutte entre Emmanuel et Marcel Proust, à qui s'assoirait sur la banquette, pour laisser à l'autre le fond de la voiture. Ce fut Marcel qui triompha et avec lui, le principe des préséances. Alors, Emmanuel, vaincu, s'écria :

— Cocher! allez à reculons, pour que Marcel Proust soit devant!

Ce trait rendait le son triste et merveilleux des gaîtés passées; c'était Emmanuel vivant, sa modestie vigilante, son dédain de soi, ses égards pour autrui, sa moquerie, contre-partie nécessaire de sa douloureuse sensibilité. C'était aussi un Marcel Proust juvénile que je n'avais pas connu, flatté par la déférence comme tout pouvoir encore mal établi, et gardant, par une espèce de délectation d'esprit, jusque dans la camaraderie la plus affectueuse, le sentiment des nuances sociales qui ne plaisent que par contraste et que certaines gens nient, comme peuvent nier le bouquet des vins, ceux qui n'en ont ni le goût ni l'usage. La douleur qu'il avait ressentie en perdant Emmanuel, s'ajoutait à la douleur éprouvée par la disparition de Bertrand et l'agrandissait encore.

Lue à travers les larmes, envoyée à Antoine, et jamais relue, je n'ai gardé de cette lettre égarée que le souvenir de la scène dans la voiture. Une seconde lettre vint me rappeler ce que la première contenait de désespoir. Elle répondait à la mienne, où je priais Marcel Proust d'écrire à Antoine le plus souvent qu'il le pourrait, pour donner au frère survivant le sentiment salutaire de n'être pas seul à souffrir; je lui disais aussi que j'avais envoyé sa lettre à Antoine, parce qu'elle m'avait rendu Emmanuel vivant. En réponse, Marcel Proust m'écrivit :

102, boulevard Haussmann.

Princesse,

Par un de ces hasards qu'on regrette parce qu'ils peuvent ne pas paraître aux autres des hasards, j'avais récrit à Antoine quelques jours avant de recevoir votre lettre. Et le temps que la mienne a pu mettre pour aller à Londres, et la vôtre pour venir de Genève, n'étant pas quelque chose d'absolument fixe, il aura pu sembler que je n'avais écrit qu'après avoir reçu votre lettre admirable. Et cela n'aurait d'ailleurs rien que de très naturel, et de gentil pour tout le monde, que votre contagieuse tendresse pour les deux frères m'eût poussé à reparler au malheureux survivant du mystérieux disparu. Seulement alors j'aurais dû dire à Antoine la lettre que j'avais reçue de vous (et je le lui dirai quand mes yeux seront un peu moins malades). Tandis que je lui ai écrit comme spontanément parce que je lui écrivais spontanément en effet. Je lui écrivais peut-être moins pour lui à qui je n'étais pas bien sûr de faire du bien, que pour moi qui, oppressé par cette pensée constante, ne trouvais que lui qui pût me comprendre, trop bien, hélas! A force de penser tout le temps mentalement mon chagrin, c'était une diversion de l'écrire. Et le sentiment que personne en dehors d'un frère, d'une mère, d'une maîtresse, ne souffre vraiment de la perte d'un être, une pudeur aussi, un malaise, m'empêchaient d'en écrire à d'autres. Bien entendu, si j'avais été moins malade des yeux, je vous aurais écrit à vous, Princesse, dès la mort d'Emmanuel, puisqu'il faut employer ces mots qui font si mal et contre lesquels s'insurgent les souvenirs palpitants que nous gardons de sa vie. Car, quand j'ai parlé de l'indifférence des « amis », j'ai sous-entendu que j'exceptais certaines âmes qui sont en effet d'exception. Je savais ce que vous pensiez d'Emmanuel, pas une fois je n'ai vu ni lui (sauf à notre dernière, silencieuse et déchirante entrevue) ni Antoine sans qu'ils me parlassent de vous avec la plus tendre admiration, presque la plus passionnée. Et c'est peut-être la dernière fois que j'ai vu Antoine, comme je lui parlais des tendances générales qu'il y avait dans sa famille, comme je venais de citer Madame de Noailles, il me dit sur un ton de reproche : « Tu oublies Marthe Bibesco. » Je lui répondis que je ne vous oubliais pas et qu'il savait mes sentiments pour vous,

mais que vous n'étiez pas de sa famille, au point de vue
où je me plaçais pour avoir épousé un de ses cousins. Il
m'apprit alors ce que je ne savais pas, que vous aviez une
grand'mère commune (Mavrocordato, je crois). Ceci date
de quelques mois. Mais du reste, après la mort d'Antoine [1],
je n'ai écrit, surtout à cause de mes yeux, ni à Madame
de Noailles, ni à Constantin, ni à sa mère. La seule personne
« de la famille » à qui j'ai écrit est la princesse de Chimay
que je n'ai pas vue, hélas! depuis bien des années mais que
j'aime toujours autant. Et ce qu'elle m'a répondu sur Emma-
nuel était si touchant et si beau que je suis bien heureux
si je peux dire dans tant de tristesse, d'avoir fait une excep-
tion pour elle. J'ignore si Antoine a su que la mort d'Emma-
nuel et la pensée de la solitude d'Antoine ont été pour elle
un véritable désespoir. Il me sera bien cruel et bien doux
de parler d'eux avec vous, Princesse. Et quand vous viendrez
à Paris, je vous serais bien reconnaissant de m'en avertir.
Le procédé le plus simple, à cause de l'imprévu de mes crises
est que vous me permettiez les soirs où je me sentirai en
état de me lever, de vous téléphoner pour vous demander
si vous pouvez dîner avec moi. Le Ritz et le Crillon où il
y a tant de monde qu'on s'y isole très bien, me sont plus
commodes que d'autres restaurants pour beaucoup de raisons.
Mais si vous en préférez d'autres, j'irai où vous voudrez.
Si d'ailleurs dîner vous ennuie, l'après-dîner ne m'est que

---

1. Marcel Proust, dans sa lettre précédente, était d'accord avec moi sur la double horreur de cette mort qui était aussi celle du frère survivant et je n'ai jamais su si les mots la « mort d'Antoine » avaient été un *lapsus calami* ou l'expression violente de sa pensée.

plus facile. Je n'ai pas le téléphone, mais il y en a un si près de chez moi que ce sera très simple de vous faire téléphoner. Et d'ailleurs, tout en ayant renoncé à jamais rien arranger qu'à la dernière minute, je ferai pour vous voir ce que je ne ferais pour personne, vous dire deux jours à l'avance que je me crois capable par exemple le lundi de dîner ensemble le mercredi. Adieu, Princesse, et merci encore d'avoir bien voulu m'écrire ces belles phrases inconsolées que je garderai précieusement pour alimenter et ennoblir mon chagrin.

Veuillez agréer mes plus respectueux hommages.

MARCEL PROUST.

A partir de ce temps, et par Emmanuel, j'ai touché à l'empire des morts. Selon la conception particulière que Marcel Proust se fait d'une famille considérée comme un corail humain, quelque chose de moi a péri, un peu de la vie d'Emmanuel subsiste. Si le narrateur ne m'a englobée qu'à partir de ce moment dans le sentiment que lui inspirait une race, la faute en est à moi et à mes cousins. Le silence sur mes origines faisait partie de mon déguisement. Je savais qu'on se rattrapait parmi les non initiés et chez celles que le cumul irrite, en me forgeant une famille sans passé. Les unes me donnaient trente ans, sans m'avoir vue, quand j'en avais dix-huit, parce que j'avais écrit un livre qui, par ailleurs, ne devait pas être de moi; d'autres qui d'habitude ne s'occupaient pas de « ces choses », me disaient mal née.

Accessible à ces manifestations inévitables, une dame plus lettrée que titrée, affirmait fort sérieusement à un homme de lettres de mes amis [1] que mes parents étaient des marchands de chaussures, ce qui lui permettait de me mettre aussi bas que terre. Je ne souhaitais pas la confondre, non plus que ceux qui s'étaient trompés sur mon âge, provisoirement. L'indiscrétion d'Antoine me replaçant dans l'imagination de Marcel Proust, à ma vraie place, augmenta curieusement son désir de me revoir comme le prouve la fin de sa lettre, toute pleine du souci de fixer notre prochain rendez-vous. La mort y pourvoira : les grands rapprochements viennent d'elle. Elle nous réunira, comme on lui voit faire à l'église de La Chaise-Dieu, intercalée entre un vivant et un autre vivant, pour qu'ils se touchent. A peine Emmanuel vient-il de disparaître, opérant sa suprême conjonction entre Marcel Proust et moi, qu'une autre mort naît : celle de ma sœur Marguerite [2].

Princesse,

Le sentiment que j'ai pour vous ressemble, en cela du moins, à celui dont parle Musset, en lui disant : « quand par tant d'autres nœuds tu tiens à la douleur ». Celle que me cause la lettre d'Antoine ne peut naturellement pas être double comme la douleur (inguérie, inguérissable, j'espère)

1. Lucien Fabre, poète et romancier. Prix Goncourt.
2. Morte le 4 avril 1918 à Montreux, enterrée au cimetière de Clarens.

que j'eus de la mort d'Emmanuel. Car je ne souffrais pas seulement de sentir Antoine malheureux, mais d'avoir à accepter l'idée de ne jamais revoir un des êtres qui avaient été parmi mes plus chers compagnons sur cette terre. Cette moitié de ma souffrance je ne peux l'éprouver, du moins qu'indistinctement, puisque je ne connaissais pas Mademoiselle Lahovary. Mais ceci même rend peut-être plus cruel mon autre chagrin, celui qui se rapporte à vous. Car je sais bien que ne pas avoir connu celle que vous venez de perdre, cela m'éloigne de vous qui devez être, comme il arrive toujours alors, vous sentant plus proche d'un vieux domestique qui l'avait connue, d'un jardinier qui lui avait parlé, d'une couturière qui lui avait fait une robe, que de moi. Désormais, ce qui n'est pas les êtres et les choses où vous retrouvez un peu d'elle-même, c'est pour vous tout de même l'étranger. Et pourtant je ne le suis peut-être pas tout à fait, tant ma pensée incertaine et acharnée s'attache à évoquer celle que vous ne reverrez plus. Une commune douleur si récente nous avait, si j'ose dire, tellement unis dans le souvenir d'Emmanuel, que vous me guidez à votre insu vers celle que j'aurais tant voulu connaître. Elle me reste insaisissable mais je penserai toujours à elle. Ce malheur me frappe tellement de la même façon que fit il y a si peu de temps la mort d'Emmanuel que, par instants, je crois que ce n'est pas arrivé, que je souffre double, comme on voit double, que je dédouble un même chagrin dans le temps. Mais, Princesse, que peuvent vous faire mes pensées, je ne suis ni le jardinier, ni la vieille bonne; et même les promesses que je pourrais vous faire, par expérience personnelle, *non pas que vous guérirez, ce qui vous ferait horreur, mais qu'un jour le mal intolérable deviendra souvenir béni d'un être qui ne vous quittera plus, ces promesses, vous êtes à une phase du mal où on n'y peut pas croire. Je ne peux que me désoler de votre souffrance et mettre à vos pieds mon chagrin et mon respect.*

MARCEL PROUST.

J'apportais, au petit cimetière de Clarens, sur la pierre où sont gravés son nom de fleur et son âge, cette promesse de vie : « Elle me reste insaisissable, mais je penserai toujours à elle. » Une pensée « incertaine et acharnée » s'attachera désormais à évoquer celle que je ne verrai plus. *Talitha cumi*, « Jeune fille, lève-toi, je te le dis! »

Quelquefois, l'éclair d'un instant, Marcel Proust m'a rendu ma sœur. J'ai cru la revoir dans tout ce qui fleurit et embaume sur le chemin d'*A la recherche du temps perdu*, et dans *Le Temps retrouvé*, je la retrouve :

...Je me demandais si tout de même une œuvre d'art dont elles ne seraient pas conscientes serait pour elles, pour le destin de ces pauvres mortes, un accomplissement... D'ailleurs, j'avais une pitié infinie même d'êtres moins chers, même d'indifférents, et de tant de destinées dont ma pensée en essayant de les comprendre avait en somme utilisé la souffrance... Tous ces êtres, qui m'avaient révélé des vérités et qui n'étaient plus, m'apparaissaient comme ayant vécu une vie qui n'avait profité qu'à moi, et comme s'ils étaient morts pour moi... Et certes, il n'y aurait pas que ma grand'mère, pas qu'Albertine, mais bien d'autres encore, dont j'avais pu assimiler une parole, un regard. mais qu'en tant que créatures individuelles, je ne me rappelais plus; un livre est un grand cimetière où sur la plupart des tombes on ne peut plus lire les noms effacés, Parfois, au contraire, on se souvient très bien du nom, mais sans savoir si quelque chose de l'être qui le porta, survit dans ces pages. Cette jeune fille aux prunelles profondément enfoncées... est-elle ici? Et si elle y repose en effet, dans quelle partie, on ne sait plus, et comment trouver sous les fleurs [1]?...

Ainsi me fut révélée ma profonde parenté senti-mentale avec Marcel Proust. Sauver de la mort, d'une façon toute allusive et dans la mesure de mes moyens, en confiant à d'autres, et puis à d'autres, la mémoire d'êtres chers et mortels, m'avait toujours paru le sens véritable et le but de toute littérature. Enfant, je m'étais fait la promesse de ne pas per-mettre que mon frère pérît tout entier. C'était pour le sauver de l'oubli que j'apprenais péniblement à écrire. Je calligraphiais son nom sur les pages de garde de mes premiers cahiers. Cette disposition d'esprit me fit imaginer plus tard la vie comme un naufrage dont chaque homme, capable de faire un livre, était le Camoëns. Je me voyais moi-même jetée à la mer, sur le point d'être engloutie, nageant d'une main, et soutenant de l'autre, au-dessus des vagues, ma *Lusiade*, un livre où seraient notés les formes, les voix, les visages transfigurés et impéris-sables de ceux que j'avais aimés.

1. *Le Temps retrouvé*, t. II, p. 58 et 59.

Le dîner à l'hôtel Ritz, désiré par Marcel Proust
en 1917 eut lieu en 1920 seulement. En m'y rendant,
je n'étais occupée qu'à dissimuler l'émotion que
j'éprouvais à revoir l'ami d'Emmanuel et de Bertrand de Fénelon, devenu mon ami, sans que je
l'eusse jamais revu depuis le soir du bal. Nous devions
être quatre convives, Marcel Proust, Walter Berry [1],
mon mari et moi; quatre, en apparence seulement.

Quand j'entrai dans cette longue galerie, au bout
de laquelle, contre la paroi vitrée du restaurant est
placé un canapé rouge, j'aperçus Berry qui se leva
pour venir à notre rencontre. Il était accompagné
par quelqu'un que je ne connaissais pas. C'était, sans
barbe, surnaturel de jeunesse, portant seulement une
petite moustache noire, le jeune homme du livre,
le Marcel Proust de Combray, de Balbec, de Doncières, l'ami de Swann, de Saint-Loup, d'Oriane de
Guermantes, d'Albertine, le maître de Françoise,
suivi d'un cortège immense où se pressaient Charlus,
Bergotte, les Verdurin, Saniette, Norpois, Jupien,
la Berma, Odette de Crécy, Mme de Villeparisis,
Andrée, Elstir, Morel, Bloch, Mme Bontemps, tous
ceux enfin qui lui avaient demandé « de leur faire

1. Ancien président de la Chambre de commerce américaine de
Paris. Juriste, bibliophile, auteur de plusieurs brochures françaises
et d'un hommage à Marcel Proust. Né avenue Gabriel, à Paris, et
mort à Paris en 1927.

boire un peu de sang pour les mener à la vie»;
ce n'était plus l'homme à la barbe noire de ma jeunesse. Proust me regarda de ses grands yeux qui ne
me parurent plus tristes, mais animés d'une vie
extraordinaire. Il scrutait mon visage sans dissimula-
tion de convenance, avec une tranquille et curieuse
gravité. Puis, s'adressant à Walter Berry, il se mit
à parler du dessin des ailes de mon nez, comme si
j'eusse été une figure inanimée.

— C'est de cette ligne, lui disait-il, que je me sou-
venais. C'est elle que je cherchais...

On eût dit la conversation d'un sculpteur parlant
d'un modelage en cours. N'avions-nous pas tous été
les porteurs d'une des pierres minimes qui servirent
à édifier son église? Mais rien de ce qu'il pouvait
dire maintenant ne me choquait plus; une grande
intimité s'était silencieusement établie entre nous
au cours de ces années où nous ne nous étions pas
vus, où tant de morts nous avaient rapprochés, unis
même, suivant son expression. Je lui racontai le
dîner que j'avais fait, dans ce même restaurant, et,
je le croyais, à cette même table, pendant la guerre.
C'était en août 1916. Notre hôte, M. Iswolski [1],
était venu me chercher chez moi, et nous avions
traversé à pied, sous le ciel d'un soir d'orage, et
sans que les réverbères fussent allumés à cause des
raids d'avions, la place Vendôme qu'on dépavait

1. Ancien chancelier de Russie, ambassadeur de Russie à Paris
de 1913 à 1917.

alors. Le duc et la duchesse de La Trémoïlle étaient de ce dîner. Quatre couverts seulement, alors comme aujourd'hui, le même décor. Par association d'idées, me souvenant du passage où il est question de l'anti-snobisme des Verdurin, qui n'était que du snobisme sous un autre aspect, et de la manie qu'ils avaient de dire *les Trémoïlle*, en supprimant le *la*, pour affirmer l'abolition des privilèges, je demandai assez naïvement au duc et à la duchesse s'ils aimaient le livre de Marcel Proust, me figurant qu'il était de leurs amis, tout comme il était celui de mes cousins Bibesco, des Noailles, des Chimay, des Guiche, pensant même qu'il avait dû écrire cet épisode où figurait leur nom pour les amuser. Je m'aperçus alors que personne à cette table, ni Monsieur et Madame de La Trémoïlle, ni Iswolski, n'avaient jamais entendu parler de Marcel Proust, dont ils répétèrent, avec surprise, le nom pour eux tout à fait inconnu. Sans pouvoir répondre de ce qui arriva dans la suite pour les autres convives de ce dîner, j'ai su que dans la dernière année de sa vie, Iswolski avait lu et passionnément admiré Marcel Proust. Quand je vis pour la dernière fois l'ancien ambassadeur de Russie, peu de jours avant sa mort, je le trouvai lisant : *A l'ombre des jeunes filles en fleurs.*

Nous parlâmes ensuite du mariage d'Antoine, qui avait eu lieu l'année précédente. Leur amitié avait survécu au temps, dans la mesure où les grands sentiments se survivent :

... En ce moment je suis en grandes et incessantes crises, écrivait Marcel Proust à Antoine, environ la même époque, *bien malade, mon vieil Antoine, que l'absence, la tristesse, la plus exacte pesée des intelligences et des silences, me rend plus cher. Travailles-tu ?* [1].

Nous parlâmes de la femme d'Antoine, Elizabeth Asquith, à qui Marcel Proust avait consacré une page du Saint-Simon de *Pastiches et Mélanges,* insérée en béquet dans les épreuves qu'il avait fait chercher chez l'imprimeur, après qu'Antoine, faisant irruption dans sa chambre, à l'improviste, selon sa vieille habitude, lui avait amené sa fiancée.

Nous parlâmes de la petite fille d'Antoine et d'Elizabeth, pour le baptême de laquelle j'allais à Londres. Cette enfant était la seule descendante du seul de ses trois amis à qui la vie eût laissé le temps de se marier, de se refléter par un autre être dans un avenir où nul témoin de la grande amitié ne subsisterait, où ni Bertrand, ni Emmanuel ne pénétreraient jamais si ce n'est en idée. Il voulut savoir comment s'appellerait cette petite fille, et répéta : Priscilla-Hélène Bibesco. Une nouvelle substitution s'opérait : le nom, une fois de plus, était nourri de la substance d'une mortelle. Sa mélancolie le céda à une excessive gaîté lorsqu'il vit paraître soudain dans le restaurant une dame qui lui en

1. Lettre CLVIII à Antoine Bibesco.

rappelait une autre, auteur celle-là. Marcel Proust se lança dans le récit d'une entrevue bouffonne qu'il venait d'avoir avec cette femme de lettres étrangère.

— Comment écrivez-vous, Monsieur Proust?

— ...

— Enfin, écrivez-vous facilement?

— Non, Madame, j'écris peu, mal, rarement, difficilement, jamais...

— Ah! dit-elle, ce n'est pas comme moi! moi cela coule de source..., etc., etc., etc.

Et, pendant un quart d'heure, elle l'avait entretenu de la manière dont elle écrivait, sans qu'une seule de ses paroles fût perdue pour Marcel Proust, qui nous les restitua toutes, sans omettre l'accent. Je le voyais en proie à son génie comique; pour la première fois je l'entendais rire...

Mais la conversation ne se prolongea pas davantage ce soir-là. On m'appela, de la part d'une de mes parentes qui devait partir le lendemain avec moi, et, habitant alors l'hôtel Ritz, elle me priait de l'aller voir dans sa chambre. Je dis à Marcel Proust que la jeune femme qui m'obligeait à le quitter était justement, par sa mère, une Bauffremont descendante de Louis le Gros, d'une race ayant possédé en Lorraine et en Bourgogne des fiefs aux noms ravissants, lont il avait fait parler son Saint-Simon :

Et les Bauffremont, qui sont de la race capétienne et pourraient revendiquer avec beaucoup de raison la couronne de France, comme j'ai souvent dit [1]...

Il manifesta aussitôt le désir de connaître cette jeune femme [2] grâce à laquelle il voyait miroiter les clochers de Scey-sur-Saône, et, plus loin, les mâts des frégates commandées par un grand-amiral de France. Je lui promis qu'il la verrait, parce que sa beauté aurait pour lui une signification qu'elle n'avait pour personne.

Nous nous séparâmes sur cette promesse, qui devait en rester une, à jamais.

*

Afin de s'élever contre le grief de snobisme que font à Proust tant de lecteurs intelligents, il faudrait n'être ni Josse, ni orfèvre, mais plutôt savetier, pour prouver davantage. Dans une conversation récente avec un homme de talent, j'ai fait observer à mon interlocuteur qui s'excusait auprès de moi de dénoncer dans l'œuvre de Proust, cette tare : la mondanité, que personne n'a parlé moins exclusivement des gens du monde que Marcel Proust, et surtout pas Stendhal et Balzac. Dans l'œuvre proustienne, les portraits des Guermantes ne sont

1. *Pastiches et Mélanges*, p. 72.
2. Ma nièce, alors la comtesse François de Beauchamp, en secondes noces comtesse Stanislas de la Rochefoucauld.

ni plus fouillés ni mieux rendus que ceux des artistes, des bourgeois, des médecins, des philosophes, des serviteurs. Personne n'a mieux parlé des domestiques que Marcel Proust, ni parlé aussi bien « comme eux ». Le personnage d'Odette de Crécy, et celui de Mme Verdurin apparaissent dans le rayon du regard intérieur, et sont observés aussi souvent, plus souvent même, au cours du roman, que celui de la princesse de Guermantes, par exemple, et Albertine succédant à Gilberte, dans l'ordre du sentiment, est, comme elle, d'origine bourgeoise. Si parmi les autres femmes, la duchesse de Guermantes brille d'un éclat particulier, c'est parce qu'elle fut aimée. Tous les personnages de Proust défilent sur le même plan; le duc n'a, par rapport à l'auteur, pas plus d'importance que le chauffeur ou le concierge, beaucoup moins que la servante. Ainsi la tradition gothique infuse dans toute l'œuvre de Proust est respectée dans son ensemble et dans ses détails. A La Chaise-Dieu, le pape avec sa tiare, le roi avec son lys, le duc avec ses feuilles de fraisier, le riche-homme, le manant, le moine et le pauvre bûcheron, sont tous sur le même cordeau, ni plus haut, ni plus bas, d'un seul relief, mais chacun portant ses attributs, comme il convient, pour que la mort les reconnaisse. Elle seule derrière chacun d'eux est reproduite toujours pareille à elle-même, sans aucune différence, rieuse, menaçante, et nue. Si la part du diable, les damnés apparaissent au porche latéral de Reims, comme chez les danseurs macabres de La Chaise-Dieu, dans les costumes de leur état, il n'en est pas de même des élus : la part de Dieu lui est apportée dans les serviettes des anges panetiers sous la forme d'une multitude de petits pains marqués d'une croix, tous ronds, tous beaux, tous égaux. Ce que la Révolution écrivit sur les murs, en grosses lettres, le Moyen Age, qui ne savait pas lire, l'écrivit en caractères idéographiques d'une merveilleuse beauté. Marcel Proust se défendait, sans le savoir, en défendant l'esprit des cathédrales :

Ce n'est pas seulement la reine et le prince qui portent leurs insignes, leur couronne ou leur collier de la Toison d'Or. Les changeurs se sont fait représenter vérifiant le titre des monnaies, les pelletiers vendant leurs fourrures, les bouchers abattant des bœufs, les chevaliers portant leur blason, les sculpteurs taillant des chapiteaux. O vous tous, de vos vitraux de Chartres, de Tours, de Bourges, de Sens, d'Auxerre, de Troyes, de Clermont-Ferrand, de Toulouse, tonneliers, pelletiers, épiciers, pèlerins, laboureurs, armuriers, tisserands, tailleurs de pierre, bouchers, vanniers, cordonniers, chanteurs, ô vous, grande démocratie silencieuse [1]...

Voilà Marcel Proust travaillant au vitrail. Les insignes de chaque corporation, les traits distinctifs de la caste, il se les assimile, il les peint, les sculpte ou les sertit avec la même application scrupuleuse. Ceux qui ne voient que des Guermantes dans son œuvre, avouent que les Guermantes seuls les attirent

1. *Chroniques*, « Une conséquence du projet Briand » (p. 165).

et les étonnent. Ce sont donc eux les snobs. Ce que Marcel Proust apercevait dans l'héritier d'une longue lignée, c'est la foule de personnages et le nombre des actions accomplies par d'illustres fantômes qui avaient amené cet homme vivant jusqu'à lui. Car si nous sommes tous « ressuscités d'entre les morts », nous ne savons pas tous desquels. Cette ignorance même peut émouvoir, comme c'est le cas pour Péguy quand il parle du « mur de quatre », au-delà duquel il ne sait rien. Quand c'est un peuple entier qui est saturé de gloire, comme c'est le cas pour le peuple français, l'imagination peut s'ébranler sur n'importe lequel des enfants de cette nation. Je n'engage pas un domestique en France sans penser que peut-être son arrière-grand-père a fait la campagne d'Égypte ou d'Italie, avec Napoléon, et le grand-père de celui-là, les guerres de Louis XIV .Et je pense aussi à tous ceux qui allèrent aux Croisades, à pied. Pour l'homme dont l'effort d'imagination fut consacré à recréer le temps, dont toute l'œuvre n'est, finalement, qu'une entreprise de résurrection, quoi de plus naturel que l'intérêt passionné éprouvé pour des personnes qui peuvent, seules, lui en faire remonter le cours? Proust est comparable à un homme qui chercherait le gué pour traverser les siècles, et dans un prince, d'abord, il trouve un passeur. Pour expliquer la nature exceptionnelle du sentiment qui le pousse à connaître les représentants de certaines familles, mêlant l'amour de l'architecture à la poursuite dramatique de la durée, comme lorsqu'il souhaita connaître la fille d'une Bauffremont, à cause surtout d'une église de Scey-sur-Saône, je citerai une lettre de sa jeunesse, où c'est le goût de la peinture, mêlé à celui du temps reversible, qui l'incite à vouloir faire la connaissance d'un jeune Anglais :

> *Cher Antoine,*
>
> *Merci de ton petit mot qui m'a fait grand plaisir. Je savais depuis extrêmement longtemps le mariage d'Humières pour dire comme toi. Imagine-toi que j'ai appris qu'un de tes amis avec qui tu m'avais invité à dîner, mais je n'avais pu... M. Cosmo Gordon Lennox descend du duc de Richmond dont le portrait (par Van Dyck) — d'après ton système on devrait peut-être dire : portrait par Dyck — a été l'objet d'une de mes grandes admirations d'autrefois, et le sujet de vers qui se trouvent dans* Les Plaisirs et les Jours. *Tout cela me rend M. Gordon Lennox extrêmement intéressant...* [1].

On voit comment l'imagination de Marcel Proust travaille. On surprend aussi dans cette lettre, le début de cette initiation aux usages mondains, au code secret, qui lui vient d'Antoine. C'est de lui qu'il apprend qu'on ne dit pas les « de » Rohan, ou les « de » Noailles, pas plus que les « de » Guer-

_____
1. Lettre XLII à Antoine Bibesco.

mantes. La suppression de la particule, quand elle n'est pas précédée du mot « Monsieur » ou du titre, est encore un mystère pour lui. Dans les débuts de la grande amitié, c'est Antoine qui l'instruit, et Marcel Proust se moque un peu de la coutume, avant de l'adopter, à la manière des Verdurin. Il cède à son ami, en ayant l'air de lui faire une concession. « Pour dire comme toi », alors qu'Antoine dit simplement comme tout le monde dans cette fraction du monde. Et l'invention bouffonne : « *D'après ton système, on devrait peut-être dire : portrait par Dyck* » (Van étant la traduction flamande du « de » français) prouve qu'il se révolte encore un peu, avant d'accepter l'usage reçu d'un milieu qui n'est pas le sien.

Il y a une suite à cette lettre qui montre bien qu'il fait un choix, nous révélant ce qu'il recherche dans la connaissance d'un Gordon Lennox, ce qui l'intéresse, et ce qui ne l'intéresse pas :

Je vois que je me trompe pour le duc de Richmond. Car quand le premier duc de Richmond, Lennox est né (n'étant pas encore duc de Richmond) Van Dyck était déjà mort. Il est vrai que si le titre existait dans la famille d'Angleterre, comme ce Lennox était un bâtard du roi, il y a parenté tout de même. Mais enfin, cela cesse d'être aussi intéressant, (intéressant par d'autres côtés d'ailleurs ton ami, comme d'avoir épousé...), etc., etc. [1].

1. Lettre XXIX à Antoine Bibesco.

Le déclenchement d'imagination s'est fait à tort, mais cependant, malgré ce faux départ, le nom de Gordon Lennox suffit à recréer l'extase ancienne éprouvée devant l'œuvre du peintre :

Tu triomphes, Van Dyck, prince des gestes calmes,
Dans tous les êtres beaux qui vont bientôt mourir.
. . . .
Duc de Richmond, ô jeune sage — ou charmant fou ? —
...Un saphir à ton cou,
A des feux aussi doux que ton regard tranquille [1]...

Ainsi, à l'aurore de la grande amitié, le nom de Fénelon, d'une si belle résonance historique et littéraire, entre pour quelque chose, et même pour beaucoup dans l'affabulation sentimentale de Marcel Proust. Cette lettre l'indique sans détour :

... Bientôt je trouverai Nonelef exactement comme vingt autres personnes et n'aurai plus à lutter contre cette Sirène classique aux yeux bleu de mer qui vient en droite ligne de Télémaque et dont M. B. a dû retrouver les traces près de l'île de Calypso. Le pauvre garçon qui se fiche de moi bien entendu serait bien étonné d'être l'objet de tant de débats.

Une autre lettre révèle fort clairement la nature du choix que Marcel Proust entend faire dans ses relations mondaines et quelles sont les plantes sur lesquelles « l'abeille endormie » ne butinera pas :

1. *Les Plaisirs et les jours*, p. 121.

'Quant à dîner chez la princesse de C... avec toi, rien en principe ne m'aurait mieux convenu puisque je m'habille pour aller chez les Strauss et n'y dîne pas. Mais à cause des personnes qu'il y a à dîner chez ta cousine, je préfère y dîner une autre fois, ces personnes rentrant dans la catégorie des gens du monde qui ne m'amusent pas, pour des raisons trop longues à écrire et qui n'intéressent d'ailleurs que la psychologie de mon snobisme. Quand tu dîneras au restaurant, fais-moi signe [1].

Son snobisme n'est pas autre chose qu'un moyen de prospection dans le temps, pour y retrouver ce qui l'émeut. Il n'est jamais dupe de la chose mondaine; jamais sa vanité ne l'a pipé, selon l'expression de Chateaubriand. Sur les sottises et l'ignorance des gens du monde, il est intarissable. Il sait que n'être ni sot ni ignorant, pour certains, c'est être moins homme du monde qu'un autre. Ainsi, dans une de ses lettres les plus anciennes, parlant de ses articles du *Figaro*, il confesse les avoir voulu mettre à la portée de certains lecteurs :

... Mais cependant il y a dans les deux autres une ou deux phrases qui contiennent je crois quelque chose de plus subtil et de plus important. Mais je suis obligé de me borner à une expression sommaire de ces vérités en pensant que l'article est destiné à tomber sous les yeux de P... ou de L.. qui heureusement se réserveront pour... A propos, pour qui?

1. Lettre CXV à Antoine Bibesco.

Réservons-nous nous-mêmes de nommer l'écrivain à qui nous voudrons faire la plus sanglante injure. « Celui dont P... fait ses choux gras et que N... G... prend pour le dessus du panier. » Sans vouloir te forcer à m'écrire et sans commencer cette horrible chose (une correspondance), je voudrais bien savoir si tu as reçu les deux articles. Parce que pour une fois que je peux vérifier si les envois que fait mon domestique arrivent, c'est embêtant de voir que non. Est-ce qu'on ne dit pas : « Ab uno disce omnes. » Je ne sais pas si nous avons parlé ensemble de l'article de Suarès sur la danse. Très beau malgré des réserves. D'abord, ici, la satisfaction de penser que P... ne lira pas. Mais cela c'est négatif et souvent trompeur, comme les gens qui, chez M. de X..., goûtent la satisfaction de se dire : Au moins Madame de S. P. ne vient pas ici. Et elle entre! Je te parle de frivolités à cause de notre commune bonhomie, *vertu essentielle, saine et recommandée par Joubert.*

> *Tout à toi.*

MARCEL [1].

Dans une autre lettre de la même époque, — et je choisis à dessein celles de ce temps où Marcel Proust était mondain et passa pour subir l'influence des salons — il n'épargne pas non plus l'esprit fort, le fanfaron d'athéisme social, c'est-à-dire le snob honteux :

P. R. dit en parlant des nobles : Il faudra couper le cou

1. Lettre XIV à Antoine Bibesco.

à tous ces gens-là, et il passe un veston pour aller chez
Madame d'Haussonville. (Passer un veston n'est ni un lapsus
ni une ignorance du scribe — encore moins du personnage [1].)

D'ailleurs, la sottise, l'opacité d'esprit ne sont
point réservées uniquement aux hôtes oisifs des salons.
Il les dénonce partout où on en rencontre, et là
encore, en n'épargnant personne, il suit la tradition
gothique, il imite la grande satire pétrifiée des
cathédrales. Les traits épars dans les lettres à mes
cousins se trouvent réunis dans cette phrase des
Chroniques :

Les magistrats, les médecins, les administrateurs, les
gens du monde, ne sont pas seuls incompétents en matière
de poésie.

Ce qu'il demande aux « nobles », c'est la noblesse,
et aux gens du monde, c'est l'appréciation exacte
des valeurs mondaines. Car lui aussi, dans le fond,
il est contre la confusion des genres, ce qu'il définit
fort bien dans une lettre à Sir Philip Sassoon [2], que
je citerai avec celle qui la précéda, car devant ce
miroir nouveau qu'est pour lui l'esprit d'un jeune
parlementaire britannique, l'attitude véritable de

1. Lettre XXVIII à Antoine Bibesco.
2. Député au Parlement britannique pour la ville de Folkestone,
à l'âge de vingt-deux ans. Secrétaire de Sir Douglas Haig pendant
la guerre et de M. Lloyd George pendant la Conférence de la Paix.
Sous-secrétaire d'État pour l'Aviation dans le Cabinet Baldwin.

Marcel Proust, vis-à-vis du monde est révélée, pour ainsi dire, à l'état pur :

Monsieur,

La chère Madame Sert [1] (que j'aime toujours et que je ne vois jamais, tant ma vie est bêtement arrangée) m'a envoyé de votre part trois volumes de moi très abîmés mais que je pourrais aisément remplacer par des volumes pas abîmés. (Le fond, hélas! restera médiocre, car ce sont les trois plus mauvais que j'ai écrits.) Si je ne vous les envoie pas purement et simplement signés et si je me donne l'extrême fatigue d'une lettre, alors que j'en ai tant de centaines en retard, en voici la raison : Je voudrais répondre à votre gracieuse demande de la façon la plus gracieuse possible. Mais j'ignore encore qui est « l'admiratrice » en question. Si elle est inconnue de moi et bénéficie du prestige d'être votre amie, bien entendu je ne me permettrai pas de mettre une dédicace, mais au-dessus de ma signature, je copierai toute une page de moi, de façon à donner à l'exemplaire un prix particulier. Si au contraire il s'agissait d'une ennemie à moi profitant de votre nom pour obtenir de moi ce qu'elle ne pourrait me demander elle-même, ma simple signature me semblerait de trop et je préférerais vous renvoyer les livres non signés. Un troisième cas peut se présenter, c'est que la dame s'imagine que le livre est de Marcel Prévost.

1. Née Misia Godebska, d'origine polonaise, femme du peintre espagnol José-Maria Sert. Son esprit, son goût et sa beauté lui valurent l'amitié de Mallarmé, d'Octave Mirbeau, du peintre Edouard Vuillard, etc.

Dans ce cas, je me chargerais très volontiers de demander à l'auteur des Don Juanes *de signer son dernier roman.*

De toute façon, excusez-moi de faire tant d'embarras pour une simple signature.

Si jamais je vous vois (comme je commence à avoir la main un peu fatiguée), je vous raconterai quel agréable pastiche j'avais fait de vous il y a environ un an, et quelles raisons méritoires me l'ont fait déchirer. De vous je n'ai entendu depuis longtemps qu'un murmure aquatique. Je dînais au Ritz (où souvent je prends une chambre pour quelques heures afin d'éviter les clients de la salle à manger) et croyant que je n'avais pas de voisin j'expliquais à un garçon qui avait préparé le rôle de Sosie pour le Conservatoire en quoi consistait la pièce de Molière (le Conservatoire l'ayant rejeté à son ancien métier du Ritz). Aussitôt des bruits menaçants se firent entendre à côté de moi, je perçus un véritable déluge, je ne doutai pas que, pour la punition de mes explications irrévérencieuses, Jupiter ne lançât sa foudre. Mais non, on me dit que c'était Sir Philip Sassoon qui prenait un bain.

Voilà, Monsieur, un bien pire déluge d'explications pour bien peu de chose et pour vous prier de croire à mes sentiments les plus distingués.

MARCEL PROUST [1].

La seconde lettre renchérit en confidences sur la première :

1. Lettre I à Sir Philip Sassoon.

Monsieur,

Votre lettre a été bien instructive pour moi. Elle ne m'a pas appris que vous aviez beaucoup d'esprit car je le savais depuis longtemps, mais par exemple que Philip en anglais ne prend qu'un p. Vous pensez avec quelle joie je vais faire parvenir le Sodome et Gomorrhe *que Sert prétend envoyé par vous, et vous par lui, à une dame irlandaise si sympathique et probablement la seule du nom que vous dites, qui ait le droit de le porter (ce qui m'est d'ailleurs tout à fait égal, mais je suis étonné de l'ignorance des gens du monde qui commencent depuis quelques années à croire que les Z... fils de M*lle *de X... ont du rapport avec le duel sous Henri II alors qu'ils en ont seulement avec les écuries de vos parents. Il serait tout naturel qu'un humble homme de lettres comme moi donnât dans ce panneau, mais pour des gens dont la seule raison d'être est de savoir les choses, là c'est inouï. Il est vrai que le mot « nom » n'a plus ici une signification très nette, car ayant appris l'autre jour qu'une de vos compatriotes s'était vu refuser une invitation par des gens qui donnaient un bal, je demandai avec curiosité quel était le maître de maison si exclusif. Or il n'a pas de nom, mais simplement à la place de nom, la circoncision télégraphique de l'adresse de son père... Comme, Dieu merci, je ne connais pas ce Monsieur, je me permettrai cette fois un pastiche.)*

Si vous passez par Paris une année ou une autre, ne cherchez pas à me voir : je vous dirai la raison (qui est du reste très gentille). Quand Bertrand de Fénelon que je

voyais quatre ou cinq fois par jour est parti pour Constan-
tinople, j'ai cessé de jamais le voir, pensant à la tristesse
de tant d'adieux. Et il est mort sans que je l'aie revu.
Dans votre cas il n'y aurait pas tristesse, ne vous connais-
sant pas, mais ennui de connaître quelqu'un qu'on ne rever-
rait pas.

Je ne connais pas une seule ligne de Pierre Benoît.
Léon Daudet écrit de temps en temps que je suis le premier
écrivain français; ce qui me fait un certain plaisir, et
qu'après moi c'est Benoît, ce qui détruit le plaisir. C'est
ainsi qu'un de vos plus notables compatriotes me combla
d'honneur en disant « la plus grande impression que ma
femme et moi nous emportons de Paris, c'est M. Proust ».
J'étais déjà content, mais trop tôt, car il ajouta : « C'est
en effet le premier homme que nous voyons dîner en pelisse
de fourrure. » Mon plaisir fut détruit!

Je suis tellement fatigué que je n'ai plus aucune capacité
de vous dire tout ce que j'avais à vous expliquer relativement
à la photo ci-jointe. Et à la place je vous ai écrit mille
imbécillités.

Veuillez agréer, Monsieur, l'expression de mes senti-
ments les plus distingués.

MARCEL PROUST [1].

Quand on sait à quel point l'éblouissement du
monde a pu aveugler un Balzac, pour ne parler
que d'un mort et des plus grands, comment ne pas

1. Lettre II à Sir Philip Sassoon.

constater l'absence de snobisme chez Marcel Proust? Il s'explique définitivement là-dessus dans l'un de ses premiers écrits, et, circonstance bien remarquable, dans un article destiné précisément au *Figaro*, et traitant de ce sujet essentiellement mondain : le salon d'une princesse :

« Un artiste ne doit servir que la vérité et n'avoir aucun respect pour le rang. Il doit simplement en tenir compte dans ses peintures en tant qu'il est un principe de différenciation, comme par exemple, la nationalité, la race, le milieu. Toute condition sociale a son intérêt et il peut être aussi curieux pour l'artiste de montrer les façons d'une reine, que les habitudes d'une couturière [1]. »

Il s'expliquera encore là-dessus à la fin de sa vie, dans une lettre à Mme Sert, qu'il jugea digne de cette confidence :

Jeudi soir.

Madame,

Hélas votre lettre datée mercredi n'est venue ici qu'aujourd'hui jeudi et on n'est entré dans ma chambre que ce soir à 9 heures. Je ne pouvais donc plus vous prévenir à temps. J'ai eu tant de regrets, la similitude des circonstances — ballets russes, souper chez vous — rend plus vivants les souvenirs chers et fait presque croire à une sorte de récidive du bonheur. Il n'est pas jusqu'à cette phrase « Êtes-vous

1. *Chroniques*, p. 22.

snob? » *qui m'avait paru bien stupide la première fois et que je sens que je finirai par aimer, parce que je vous l'ai entendu dire. En soi, elle n'a aucun sens; si dans les très rares amis qui continuent par habitude à venir demander de mes nouvelles il passe çà et là encore un duc ou un prince, ils sont largement compensés par d'autres amis dont l'un est valet de chambre et l'autre chauffeur d'automobile et que je traite mieux. Ils se valent d'ailleurs. Les valets de chambre sont plus instruits que les ducs et parlent un plus joli français, mais ils sont plus pointilleux sur l'étiquette et moins simples, plus susceptibles. Tout compte fait ils se valent. Le chauffeur a plus de distinction. Mais enfin cette phrase « Êtes-vous snob? » m'a plu comme une robe de l'an dernier parce que je vous y avais trouvée jolie. Mais je vous assure que la seule personne dont la fréquentation pourrait faire dire que je suis snob, c'est vous. Et ce ne serait pas vrai. Et vous serez la seule à croire que je vous fréquente par vanité plutôt que par admiration. Ne soyez pas si modeste.*

Si vous êtes toujours bien avec Sert dites-lui que je suis rempli de fanatisme pour lui. Bien respectueusement vôtre.

MARCEL PROUST.

A la même Mme Sert, il avouera la terrible raison qui lui fait accepter son invitation à l'Opéra : « *Cela m'intéresse extrêmement de voir comment les figures vieillissent.* »

Pourtant, le reproche de snobisme est devenu le

lieu commun, le grief banal invoqué contre Marcel Proust, et cela jusque dans les salons qui lui manifestent par là leur ingratitude. L'accusation paraîtra singulièrement injuste, à la lumière d'une exhortation comme celle que j'emprunte à dessein aux lettres écrites dans la toute première période, dans la phase mondaine de la grande amitié, et qui, adressée à Antoine, s'applique merveilleusement à Marcel Proust lui-même :

... Tâche de rester comme tu es, revivifiant perpétuellement tes actes et tes paroles d'une pensée créatrice, ne laissant aucune place à la convention, car ce qu'on croit un simple ridicule mondain ou une simple méchanceté est la mort de l'esprit. Mais continue à vivre ainsi, sincèrement, irrespectueusement, spontanément, et je te le dis, non dans le sens religieux mais dans celui d'immortalité littéraire. « This do and thou shalt live. This if thou do not, thou shalt die. Die (whatever Die means) totally and irrevocably [1]. »*

Dans une autre lettre écrite à cette époque, après des reproches passionnés sur un sujet futile, Marcel Proust fait une brusque confession qui le situe « entre le passé et le néant » :

Mon petit Antoine,

Je suis horriblement contrarié de ce que tu as dit à Constantin. Je t'avais pourtant mis serment-tombeau dans

1. Lettre LIII à Antoine Bibesco. « Fais cela, et tu vivras. Et si

ma dépêche. Non, au fond cela ne fait rien, j'y songe, ce n'est qu'ennuyeux. Cela a l'air bien frivole pour quelqu'un qui est entre la vie et la mort, entre l'amour et le désespoir, entre le passé et le néant, d'être contrarié pour une si petite chose... [1].

A ce moine accusé d'avoir sacrifié au monde, on reproche aussi d'avoir écrit des livres à clef. Des personnes ignorantes s'irritent de ne pas trouver la serrure, ni la lanterne magique suffisamment éclairée. Combien n'ai-je pas entendu de ces phrases :

— Qui est-ce Charlus? La duchesse de Guermantes, est-ce bien Mme de C...? ou Mme S...?

— Non, c'est la comtesse G...

Mais personne ne cherche à identifier les Verdurin, les Bloch, ou Mme Bontemps. De la Nouvelle Comédie humaine, naît une autre comédie. Les mondains, dont les expressions toutes faites sont à refaire, disent entre eux :

— Proust a regardé le monde par le petit bout de la lorgnette...

Reprocheraient-ils aux architectes gothiques la finesse et la ressemblance expressive des corbeaux de leurs cathédrales? De ce dernier grief, Marcel Proust lui-même s'est moqué en brandissant son instrument de travail : un télescope. Quant aux clefs

tu ne le fais, tu mourras. Tu mourras (quelle que soit la signification de mourir), totalement et irrévocablement. »
1. Lettre XLII à Antoine Bibesco.

de son roman, il faut les aller chercher là où elles se trouvent :

Ce soir que je suis avec mon bien-aimé,
O Providence! jette les clefs du matin dans un puits [1].

Marcel Proust a vécu d'une vie qui n'était qu'amour, passion et renoncement. Son langage est celui des mystiques. Après une brouille, il écrit à Antoine, dans un élan de sincérité, ces mots où son cœur se découvre :

... Comme le fond de ma nature est la sympathie, je recrée plus volontiers en moi les états qui m'unissent aux êtres que ceux qui m'en séparent à tout jamais [2].

Il aurait pu dire à chacun de ses amis, et dans le sens religieux, cette fois :

— Comme mon Père m'a aimé, moi aussi je vous aime.

Car il les a véritablement recréés dans l'esprit. De sa rencontre avec chacun d'eux, par l'ardeur et la vertu de son intelligence, naissait à la vie un troisième être, créature imaginaire qui reproduisait, comme il arrive dans la génération animale, la ressemblance de celui qui avait inspiré la création, celle du créateur, et aussi des traits, des nuances, des

1. Chanson persane.
2. Lettre LXIV à Antoine Bibesco.

expressions, des manières d'être, venus du fond des âges, des races et des hérédités. Ainsi, pour le personnage de Saint-Loup, que Proust a certainement créé *à l'aide* de Bertrand de Fénelon, il serait absurde de prétendre qu'il y a identité entre le héros du livre et le Nonelef « aux yeux bleus » des lettres à Antoine, si ce n'est quant à la mort héroïque, à cette charge finale, où nous ne pouvons pas l'oublier.

Il avait dû être bien beau en ces dernières heures, lui qui toujours en cette vie avait semblé, même assis, même marchant dans un salon, contenir l'élan d'une charge en dissimulant d'un sourire la volonté indomptable qu'il y avait dans sa tête triangulaire, enfin il avait chargé. Débarrassé de ses livres, la tourelle féodale était redevenue militaire [1].

Primitivement, c'est son amitié pour Fénelon qui a mis Marcel Proust en état de grâce, c'est-à-dire en état de concevoir cette synthèse du jeune aristocrate français qu'est Robert de Saint-Loup. J'y reconnais, quant à moi, les ressemblances de plusieurs autres jeunes hommes vus au bal, les cadets de Bertrand de Fénelon, mais appartenant au même milieu que lui, probablement observés par Proust après la disparition de son ami, qu'il cherchait à retrouver, selon sa méthode sentimentale, dans d'autres personnes ayant alors l'âge, et peut-être les manières, ou le maintien qu'avait Fénelon dans sa grande

1. *Le Temps retrouvé*, t. II.

jeunesse, quand Marcel Proust l'avait d'abord connu. Il n'est pas jusqu'à sa mort où nous ne pouvons reconnaître celle d'un Josselin de Rohan, d'un Sanche de Gramont, pour ne parler que de ceux-là.

Tout ce qui fait d'un livre à clef une copie, donc une bassesse, est étranger à Marcel Proust. Il crée par amour, il fonde un troisième être avec les éléments du premier, auquel il ajoute infiniment de soi. Lui-même dit en parlant de la fabrication de son ouvrage :

...le suralimenter comme un enfant, le créer comme un monde, sans laisser de côté ces mystères qui n'ont probablement leur explication que dans d'autres mondes et dont le pressentiment est ce qui nous émeut le plus dans la vie et dans l'art [1]...

Sur la diversité incroyable des éléments qui composent sa mosaïque, je trouve ce témoignage dans une lettre en réponse à une question précise d'Antoine Bibesco concernant la fameuse « petite phrase de la sonate de Vinteuil » dont les correspondances secrètes lui révélèrent « quelle richesse, quelle variété cache à notre insu cette grande nuit impénétrée et décourageante de notre âme que nous prenons pour du vide et pour du néant [2] ».

1. *Le Temps retrouvé*, p. 240.
2. *Du côté de chez Swann*, t. II.

Cher Antoine,

Une seule ligne, car je suis très souffrant, pour te remercier de tout cœur et te dire que la Sonate *de Vinteuil n'est pas celle de Franck. Si cela peut t'intéresser (mais je ne pense pas) je te dirai, l'exemplaire en main, toutes les œuvres parfois fort médiocres qui ont « posé » pour sonate. Ainsi la « petite phrase » est une phrase de sonate piano et violon de Saint-Saëns que je te chanterai (tremble!). L'agitation des trémolos au-dessus d'elle dans ce prélude de Wagner, son début gémissant est de la sonate de Franck, ses mouvements espacés ballade de Fauré, etc., etc., etc., et les gens croient que tout cela s'écrit au hasard, par facilité!*

Tendresses aux deux frères.

MARCEL [1].

A mon tour je transpose : tous les jeunes hommes (parfois fort médiocres) qui ont posé pour Saint-Loup n'étaient pas des Fénelon, mais il reste que Marcel Proust aima la musique, la jeunesse et l'héroïsme.

Je retrace dans la composition de l'œuvre l'apport de la grande amitié, chaque fois que reviennent, avec le printemps, les thèmes enlacés des églises gothiques et des arbres en fleurs. Les trois amis disparus m'apparaissent alors tels que me les montre cet émouvant instantané d'un témoin de ce temps où je n'étais pas encore :

1. Lettre CXV à Antoine Bibesco.

C'est à cette époque aussi que nous avons fait, quelques amis et lui, des voyages vers les églises — les monuments qu'il aimait. Il n'y avait pas à craindre qu'il ne fût pas prêt de bon matin, car il restait levé depuis la veille... Nous avons été ainsi à Laon, à Coucy. Il est monté même, malgré ses étouffements et sa fatigue, jusqu'à la plate-forme de la grande tour, celle que les Allemands ont abattue. Je me rappelle qu'il montait, appuyé au bras de Bertrand de Fénelon qui, pour l'encourager, chantait à mi-voix *l'Enchantement du Vendredi Saint*. C'était, en effet, un Vendredi Saint, avec les arbres fruitiers en fleurs sous un premier soleil. Je vois aussi Marcel, attentif, devant l'église de Senlis, écoutant le prince Emmanuel Bibesco qui, avec tant de modestie et comme se défendant de lui rien apprendre, expliquait ce qui caractérise les clochers de l'Ile-de-France [1].

J'assiste, de loin, à cette ascension continue et, toujours, unissant et séparant à la fois les trois amis, à mesure qu'ils montent à la Tour condamnée, après chaque marche, je vois surgir entre eux, pâle comme un arbre en fleur aperçu dans la campagne, une dame blanche dans sa robe de mariée, leur compagne à chacun : la mort.

*

Ma dernière conjonction avec Marcel Proust fut opérée par le seul survivant de la grande amitié pendant l'été de 1923. C'était peu de mois avant

1. *Hommage à Marcel Proust : Quelques années avant Swann.* Georges de Lauris (p. 41).

que Marcel Proust disparût au tournant de cet escalier en spirale où l'avaient précédé Fénelon, puis Emmanuel. La conjonction fut imparfaite, puisque je n'eus pas même la possibilité d'apercevoir Marcel Proust, mais elle me paraît ainsi plus belle, plus significative, interceptée qu'elle fut par une cloison, et ne se produisant qu'à travers la vision d'un autre, d'Antoine, qui fut seul admis dans cette chambre où commençait pour moi l'éternité.

Nous savions que Marcel Proust ne quittait plus son lit, et qu'on l'y voyait de moins en moins. Il était enfermé dans sa chrysalide, et définitivement, à ce qu'on disait. Il n'écrivait plus que de courts billets, pour prédire sa fin prochaine, en même temps que l'achèvement de son grand ouvrage. Qu'appelait-il au juste sa fin ? J'ai parfois mes doutes sur ses doutes, quand je pense à ce qu'il écrivit sur Gérard de Nerval :

« Le poète n'a pas plus honte de l'accès terminé que nous ne rougissons chaque jour d'avoir dormi, *que peut-être un jour nous ne serons confus d'avoir passé un instant par la mort.* »

N'avait-il pas pris sur lui de nous affirmer, avec une autorité singulière, à chaque disparition d'un être aimé, qu'il dépendait de nous de lui conserver la vie ?

N'avait-il pas hardiment détourné de son sens la parole de saint Augustin que j'avais lue jadis à la première page du *Récit d'une sœur* :

« On ne perd jamais ceux qu'on aime en celui qu'on ne peut perdre », c'est-à-dire en soi-même.

Quel remède magique, quel philtre composait-il, dans la nuit de sa chrysalide, pour défaire la mort? Ne se cachait-il pas à ses amis pour les mieux voir?

... D'ailleurs, si je peux te recevoir, je te téléphonerai. Seulement, hélas! à l'heure où sans doute personne ne répondra de chez toi. En tout cas, cet été, après l'achèvement de l'œuvre considérable que j'entreprends, je veux me consacrer avant de quitter cette terre à revoir quelques-uns des « companions that have given me all the best joy of my life on the Earth [1] »...

. . . .

et il n'y en a pas, mon cher Antoine, dont j'ai gardé un plus tendre souvenir que de toi. Ma vie solitaire m'a permis de recréer par la pensée ceux que j'aimais et j'ai toujours près de moi ce cher Antoine comme aux jours où il a été si bon pour moi. Mais toi, depuis si longtemps, te souviens-tu encore de moi [2]?...

Un soir, à l'improviste, à la sortie d'un théâtre, mon cousin voulut nous emmener, sa femme et moi, rue Hamelin, en nous disant qu'il entrait toujours ainsi chez Marcel Proust, par surprise. Il nous y ferait entrer avec lui, malgré la résistance probable que

1. Compagnons qui m'ont donné toutes mes meilleures joies durant ma vie sur la terre.
2. Lettre CLXIII à Antoine Bibesco.

son ami mettrait à se laisser voir dans son cocon et ses fumées. J'hésitai d'abord un peu, puis beaucoup, craignant que ma présence, dans ces conditions, fût très désagréable à Marcel Proust, puisqu'il n'y avait jamais eu entre nous d'intimité, autre que l'irréelle. Au moins voulais-je qu'il fût prévenu de mon arrivée; mais Antoine ne m'en laissa pas le temps.

Je ne me trompais guère, comme je l'ai su depuis, sur le déplaisir que Marcel Proust éprouvait, et de tout temps, à se laisser voir par d'autres que par ses plus chers amis, dans l'état où le mettaient ses fumigations, et surtout son travail.

Je sais aujourd'hui combien j'avais raison de craindre son effarouchement de reclus, quand je lis et compare entre elles deux lettres, écrites à de longues années de distance, par lesquelles Marcel Proust supplie Antoine de ne point introduire d'abord Emmanuel, qu'il connaissait alors trop peu, ni, beaucoup plus tard, Harold Nicholson[1] qu'il connaissait encore moins, dans la chambre de liège.

... Ne viens jamais avec ton frère. Ce n'est pas du tout contre lui, bien entendu, qui est charmant et que je serais bien heureux de voir. Mais pour la raison suivante que tu comprendras très bien. Je ne le ferais pas entrer dans ma chambre et d'ailleurs Maman ne me le permettrait pas, je ne le verrais pas étant déshabillé avec mes sales tricots, etc.

1. Harold Nicholson, écrivain anglais, secrétaire d'ambassade. Auteur de *Some People*.

— Alors la conséquence serait que je ne te recevrais pas
non plus et que peu à peu tu passerais dans la catégorie
des amis que je ne recevrais que tout prêt, dans la salle à
manger, c'est-à-dire peu.

Nous nous verrions moins et nous nous aimerions moins [1]...

« Maman » n'est plus là pour ne pas permettre
qu'on voie son fils dans ses « sales tricots », mais
Marcel Proust continuera à se défendre contre l'im-
pétuosité d'Antoine qui, fidèle à sa méthode de sup-
primer les distances entre ses amis, serait bien capable
de précipiter un inconnu dans la chambre enfumée,
vingt ans plus tard.

Antoine, j'ai trouvé Nicholson exquis, d'une intelligence !...
Tout ceci n'est pas pour que tu l'amènes, car je serais navré
qu'il me vît dans mon liège et mes tricots brûlés [2]...

C'est à nous entraîner de force, Elizabeth et moi,
dans la chambre défendue, qu'Antoine pense en
montant l'escalier, rue Hamelin, ce soir-là. N'ai-je
pas tort de me laisser emmener par lui ? Je sais maintenant très exactement quelle place j'occupe dans la
pensée et dans le cœur de Marcel Proust. Cette place,
en soi, n'est pas grande. Elle serait immense si
Antoine n'était plus là. Alors, je représenterais la
grande amitié, une et indivisible : Antoine, Emmanuel et, d'écho en écho, Bertrand. J'ai assez bien lu

1. Lettre XXI à Antoine Bibesco.
2. Lettre CLXXII au même.

139

Marcel Proust pour savoir que ma présence ne lui serait d'aucun secours si j'entrais, maintenant, chez lui. Pour exciter sa rêverie, qu'a-t-il besoin de bifurquer sur Comarnic, quand la présence du seul survivant suffit à l'aiguiller sur la ligne idéale de Stréhaïa, de Corcova, en direction de Constantinople ?

Arrivé sur le palier, Antoine a sonné deux fois, précipitamment. A ce signal, Céleste [1] ouvre la porte et manque de la refermer en voyant que nous sommes trois !

— Monsieur vient d'avoir une crise effroyable ; il respire à peine. Il est à craindre qu'il ne puisse recevoir personne, et même pas le prince Antoine, qui lui fait toujours, en venant, un immense plaisir...

Mais Marcel Proust a reconnu le coup de sonnette fatidique. Céleste qui a disparu sans achever sa phrase, reparaît pour nous apprendre, avec une voix d'une douceur inimitable, qu'Antoine est appelé, mais qu'Elizabeth et moi sommes priées de ne point dépasser le seuil du petit salon. Et elle ajoute :

— Monsieur craint beaucoup le parfum des princesses...

Comme si nous étions de vraies fleurs !

J'entends encore retentir à mes oreilles le signal convenu, maintenant que j'ai lu cette lettre ancienne où il est tellement question des deux coups de sonnette d'Antoine, sic, et sicissime :

1. Mme Céleste Arbelet, l'admirable « servante au grand cœur » de Marcel Proust.

Cher Antoine,

Je me suis fort ennuyé après toi ces deux jours-ci. Tantôt, après plusieurs instants debout, j'ai voulu dormir et t'ai fait écrire par Maman de ne pas venir, tes coups de sonnette merveilleux étant la fin du sommeil, moins par leur sonorité matérielle que par l'intensité musicale du leit-motiv de tendresse, de l'hallali de désirs de te voir qu'ils « réveillent » immédiatement en moi sans qu'aucun trional ne puisse les tenir assoupis. Dès que j'ai été réveillé, comme j'allais essayer de t'appeler au téléphone, sont arrivés divers Billy et j'ai craint que tu ne sois fâché d'être dérangé dans ces conditions. Billy [1] *est resté à dîner et ensuite jusqu'à minuit. Et je me couche fort triste de ne pas avoir eu sur mes douleurs toujours souffrantes le tonique apaisement de ton énergique douceur* [2]...

Ce leit-motiv, cet hallali, je les ai entendus à travers les années, et ils étaient encore assez puissants sur l'esprit d'un mourant pour que la porte s'ouvre au souvenir.

Je lis encore ce billet :

Ce qui serait très gentil serait s'il est moins de minuit cinquante, de monter chez moi pour une minute. Mais si tu es fatigué ne le fais pas. Et ne me dis pas je suis rentré à 1 heure. J'aime bien mieux penser que tu es rentré à minuit

1. M. Robert de Billy, ambassadeur de France à Tokyo.
2. Lettre XXXIII à Antoine Bibesco.

et étant fatigué n'es pas venu. Tu n'aurais qu'à sonner tes deux coups. Je t'ai cherché, ou plutôt fait chercher par Bertrand, car je ne voulais pas me montrer chez Laurent [1]...

Bertrand a trouvé Antoine, et les amis causent une dernière fois entre eux. Combien sont-ils derrière cette muraille impénétrable? Ils sont quatre et, je le sais, « ils se parlent encore, à travers les cloisons légères posées par la mort ».

Que se disent-ils? Je le devine : ils se disent simplement tout.

... Tu es trop intelligent, mon petit Antoine, pour ne pas comprendre que l'intérêt qui me pousse à continuer ce débat est le plaisir de discuter, l'amour de la logique et la fureur de l'investigation [2]...

Hyères, 22 mars.
Paris, 10 mai 1928.

1. Laurent, le restaurateur. Lettre VI à Antoine Bibesco.
2. Lettre XXVI à Antoine Bibesco.

DU MÊME AUTEUR

Aux Éditions Gallimard

KATIA, roman historique.

LOUISON, roman historique.

CALINE, roman historique.

LOULOU, PRINCE IMPÉRIAL, roman historique.

CHARLOTTE ET MAXIMILIEN, roman historique *(sous le pseudonyme de Lucile Decaux)*.

Aux Éditions Hachette et Cie

LES HUIT PARADIS *(ouvrage couronné par l'Académie française)*.

ALEXANDRE ASIATIQUE OU L'HISTOIRE DU PLUS GRAND BONHEUR POSSIBLE.

Aux Éditions Bernard Grasset

LE PERROQUET VERT, roman.

LES HUIT PARADIS *(réédition)*.

CATHERINE-PARIS, *roman.*

NOBLESSE DE ROBE, essai.

QUATRE PORTRAITS, essai.

LE RIRE DE LA NAÏADE, essai.

ÉGALITÉ, roman.

MARIE WALEWSKA, roman historique *(sous le pseudonyme de Lucile Decaux)*.

Aux Éditions de la Sirène

UNE FILLE INCONNUE DE NAPOLÉON. Préface de Frédéric Masson.

Aux Éditions Plon

ISVOR, le pays des Saules.

CROISADE POUR L'ANÉMONE. Lettre de Terre sainte.

IMAGES D'ÉPINAL, essai.

FEUILLES DE CALENDRIER, essai.

LE VOYAGEUR VOILÉ. Lettres de Marcel Proust au duc de Guiche.

LAURE DE SADE, DUCHESSE DE GUERMANTES. Lettres de Marcel Proust à la comtesse de Chevigné.

LA VIE D'UNE AMITIÉ *(3 vol.)*.

LA NYMPHE D'EUROPE. Livre I : MES VIES ANTÉRIEURES, mémoires.

Aux Éditions E. Champion

UNE VICTIME ROYALE.

UNE VISITE À LA BÉCHELLERIE.

Aux Éditions de la Porte étroite

LA TURQUOISE.

Aux Éditions des Cahiers libres

PAGES DE BUKOVINE ET DE TRANSYLVANIE.

Aux Éditions Flammarion

LE DESTIN DE LORD THOMSON OF CARDINGTON, biographie. Préface de James Ramsay Mac Donald, Premier Ministre d'Angleterre.

LETTRES D'UNE FILLE DE NAPOLÉON. Fontainebleau et Windsor.

JOUR D'ÉGYPTE, essai.

KATIA, roman historique *(coll. « J'ai lu »)*.

Aux Éditions Albin Michel

CHURCHILL, OU LE COURAGE.

ÉLISABETH II.

Aux Éditions françaises d'Amsterdam

THEODORA, LE CADEAU DE DIEU.

L'IMAGINAIRE
GALLIMARD

Volumes parus